P9-ARU-485

Regards sur
la théorie de l'évolution

Pierre Bellemare

Regards sur
la théorie de l'évolution

NOVALIS

Regards sur la théorie de l'évolution est publié par Novalis.

Révision : Thomas Campbell

Mise en pages et couverture : Studio C1C4

Image de la couverture : © Crestock

© Les Éditions Novalis inc. 2009

Novalis, 4475, rue Frontenac, Montréal (Québec) H2H 2S2
C.P. 990, succursale Delorimier, Montréal (Québec) H2H 2T1

Dépôt légal —
Bibliothèque et Archives nationales du Québec, 2009
Bibliothèque et Archives Canada, 2009

ISBN : 978-2-89646-119-6

Nous reconnaissons l'aide financière du gouvernement
du Canada par l'entremise du Programme d'aide au développement de l'industrie de l'édition (PADIÉ) pour nos activités
d'édition.

Cet ouvrage a été publié avec le soutien de la SODEC.
Gouvernement du Québec – Programme de crédit d'impôt
pour l'édition de livres – Gestion SODEC.

Imprimé au Canada

**Catalogage avant publication de Bibliothèque et Archives
nationales du Québec et Bibliothèque et Archives Canada**

Bellemare, Pierre, 1955-

    Regards sur la théorie de l'évolution
    Comprend des réf. bibliogr.
    ISBN 978-2-89646-119-6

    1. Évolution (Biologie). 2. Évolution (Biologie) - Aspect
religieux - Église catholique. 3. Religion et sciences. I. Titre.

QH366.2.B44 2009   576.8'2   C2009-942340-5

NOVALIS

remotissimis atavis

I

Darwin

Le nom de Charles Darwin (1809-1882) est si étroitement lié à la théorie de l'évolution des espèces que l'on utilise souvent le mot « darwinisme » comme synonyme pour la qualifier. Cette analogie est cependant fâcheuse, car trompeuse, et ce, pour au moins trois raisons.

Elle semble tout d'abord attribuer le mérite de la découverte, ou l'idée même de l'évolution, à Darwin, ce qui est loin d'être le cas. Elle gomme ensuite la différence fondamentale entre la contribution scientifique de Darwin et une idéologie contestable, voire dangereuse, « le darwinisme social », qui, depuis le XIXe siècle, s'en est réclamé à plusieurs reprises. Enfin, il y a d'autres distinctions à opérer au-delà même du « darwinisme ». Ce dernier est d'ailleurs divisé en chapelles, qui par le passé ont vu éclore diverses théories de l'évolution des espèces, et qui, dans l'avenir, seront sans doute enrichies de nouvelles conjonctures.

Il y a donc lieu, en cette année 2009, de nous interroger sur le sens à donner à la commémoration du bicentenaire de la naissance de Darwin (1809) et la célébration du cent cinquantième anniversaire de la publication de son grand ouvrage : *L'origine des espèces* (1859). Cette interrogation induit elle-même deux questions, suivant la perspective de notre époque ou celle des contemporains du naturaliste.

Du vivant de Darwin, et pendant environ un demi-siècle après sa mort, il était considéré comme l'auteur d'un livre de sciences naturelles très approfondi et très bien écrit. La majorité de l'élite scientifique était d'ailleurs convaincue de la véracité de sa théorie, grâce à la richesse de sa documentation et à la qualité de sa démonstration. De nos jours, Darwin est presque universellement reconnu comme le précurseur du principe de la sélection naturelle, qui, de l'avis général, permettrait d'expliquer l'évolution des espèces. Pourtant, ces mérites peuvent être contrastés par des faits ignorés du grand public. La plupart des contemporains et collègues de Darwin avaient une opinion assez médiocre de ce principe de « sélection naturelle » qui, pour leurs successeurs d'aujourd'hui, fait toute la grandeur de l'Homme. Ainsi, ce n'est pas au penseur original, mais au publiciste éminent de l'idée d'évolution que le gouvernement britannique, qui avait toujours refusé de lui conférer le titre

de « sir », décida de lui rendre hommage lors de
funérailles nationales et d'une mise au tombeau
à l'Abbaye de Westminster[1].

J'ai déjà fait une distinction entre le principe
de l'évolution et son explication. À ces deux
termes, je viens d'en ajouter un troisième : l'idée
même d'évolution. Cette idée est très ancienne.
Plusieurs sont tentés d'en attribuer la paternité au
philosophe grec présocratique, ou « physiologue »,
Anaximandre de Milet qui, au VIe siècle avant
J.-C, aurait émis diverses opinions sur l'origine
des vivants, dont celle suivant laquelle tous les
animaux habitant aujourd'hui la terre ferme
seraient originellement venus de la mer. Les
œuvres d'Anaximandre ont néanmoins disparu,
et avec elles les raisons qui expliquent de quelle
manière il a pu forger son opinion. Nous avons
ainsi une idée imparfaite, spéculative même, de
ce jugement. Cela importe peu, car il est évident
que ni Anaximandre, ni les « prédécesseurs
de Darwin » ne disposaient d'éléments pour
construire une théorie de l'évolution, au sens où
nous l'entendons aujourd'hui.

C'est seulement au Siècle des Lumières, siècle
qui a précédé la naissance de Darwin, que les
données ont commencé à s'accumuler. Une certaine

---

1. Église londonienne où sont notamment enterrés les sou-
verains anglais et les grands de la nation.

reconnaissance du principe de l'évolution a alors émergé au sein des milieux scientifiques. À cet égard, il en est de Darwin comme de tous ses confrères, aussi grands soient-ils: ils sont parvenus à porter leurs regards plus loin que leurs devanciers, parce qu'ils étaient juchés sur leurs épaules. Cette affirmation est tellement vraie qu'au milieu du XIXe siècle, la théorie de l'évolution par sélection naturelle, au sens darwinien du terme, était une découverte qui attendait son heure.

Lorsqu'enfin elle fut venue, Darwin, lui-même, a failli ne pas la saisir. On imagine néanmoins sa surprise, et sa déconvenue, le 11 juin 1858, quand il reçut par la poste un article manuscrit décrivant une ébauche de théorie de l'évolution presque identique à la sienne, alors qu'il travaillait depuis plus de vingt ans à sa propre version. Cette communication émanait d'un collègue, Alfred Russel Wallace (1823-1913), avec qui il était en contact depuis quelques mois et qui, manifestement, était parvenu aux mêmes conclusions que lui au sujet du rôle de la sélection naturelle dans «l'origine des espèces». La suite de l'affaire mérite d'ailleurs d'être contée, pour la lumière qu'elle jette sur les facteurs, souvent relatifs, qui constituent une «découverte scientifique». Conscient que sa théorie n'était plus tout à fait la sienne et que sa paternité risquait de lui échapper, Darwin s'empressa de suggérer à

Wallace de présenter, conjointement, son article et un sommaire de *L'origine des espèces*, lors de la prochaine séance d'une des grandes sociétés savantes de Londres, la *Linnean Society*. Wallace, flatté de recevoir une offre d'un gentleman dont la réputation excédait de beaucoup la sienne, ne pouvait qu'accepter. Mais le 1ᵉʳ juillet 1858, lorsque les deux textes furent présentés devant cette assemblée d'éminents spécialistes, leur lecture passa pratiquement inaperçue.

Ce n'est qu'un an et demi plus tard, après la publication, le 30 novembre 1859, de ce que Darwin appelait son «long argument» sous la forme de *L'origine des espèces*, et de son étonnant succès en librairie, que ces messieurs finirent par se rendre compte qu'une bombe venait d'éclater. Encore ne prenaient-ils pas encore la mesure de cet événement. Ainsi qu'on l'a déjà dit, du point de vue de ses contemporains, l'objet du «long argument» n'était pas tant le mécanisme de l'évolution (sur lequel portaient autant l'article de Wallace que le sommaire du livre de Darwin), que le principe même de cette dernière.

Pour en revenir à Darwin et Wallace, comment concevoir que deux chercheurs, œuvrant tout à fait indépendamment l'un de l'autre, aient pu arriver à formuler des théories scientifiques analogues ? La réponse est évidente : il suffit qu'ils aient été exposés aux mêmes influences formatrices. À cet égard, en 1859, une théorie comme celle de Darwin était devenue une conséquence naturelle, sinon inéluctable, d'une combinaison de mouvements scientifiques amorcés depuis longtemps. Le milieu était ainsi agité profondément dans au moins cinq disciplines différentes: la classification, l'anatomie, l'écologie, la géologie et la paléontologie.

La renaissance de la classification et de l'anatomie comparée

Ces deux domaines étaient intimement liés, car ils répondaient à la nécessité de gérer le contenu des collections européennes de plantes et d'animaux exotiques enrichies à la suite des grandes explorations depuis le milieu du XVe siècle. Le mérite d'avoir repris l'ambitieux projet aristotélicien de classification universelle des animaux et des plantes revient au naturaliste suédois Charles Linné (1707-1778) qui assignait, avec discipline, des noms binaires à tous les êtres naturels. Il les regroupait ensuite par règnes, embranchements, sous-embranchements, classes, ordres, familles, genres, espèces et variétés. Convaincu, comme Aristote, que la morphologie et l'anatomie comparée constituaient la clé de la classification, il cultivait cette science avec passion, afin de répertorier les animaux et les plantes suivant des critères de ressemblances et de dissemblances anatomiques. Il sera suivi en cela par ses successeurs et critiques, car la classification est un gigantesque travail en cours dont les constructions sont constamment remises à jour.

Aux yeux du chercheur d'aujourd'hui, la taxonomie de Linné, assimilée depuis longtemps par la science évolutionniste, représente une première ébauche de «l'Arbre de la vie[2]». Les similarités formelles entre les organismes qui sont mises en évidence par la classification tendent à refléter des parentés génétiques réelles entre les espèces. Or, il y avait déjà au XVIIIe siècle des gens pour interpréter les données de cette façon (la référence à la génétique en moins!). C'est ainsi qu'un excentrique écossais, James Burnett[3], Lord Monboddo (1714-1799), soutenait que les hommes et les grands singes devaient avoir un ancêtre commun, en s'appuyant notamment sur leurs multiples ressemblances anatomiques et autres. Mais les scientifiques de son époque n'étaient pas prêts à s'engager dans cette voie, à

---

2. *Tree of life* ou arbre phylogénétique de Darwin.

3. James Burnett se souvenait peut-être des résultats des travaux de l'anatomiste anglais Edward Tyson (1650-1708) qui avait un jour disséqué un chimpanzé.

commencer par Linné lui-même qui demeurait
très attaché au principe médiéval de «la grande
chaîne des êtres» (ou *scala naturae*) auquel
Arthur Lovejoy consacra un ouvrage célèbre[4].
Selon ce principe, l'ensemble des êtres naturels
forme une hiérarchie où l'on peut passer d'un
degré à un autre par une série d'intermédiaires
et pour laquelle il n'y a pas de niches vides. En
d'autres termes, il n'y a de place pour ce modèle,
ni pour une espèce éteinte (telle l'hypothétique
ancêtre commun, aujourd'hui disparu, de
l'Homme et du chimpanzé), ni pour une espèce
nouvelle (comme le seraient l'Homme et le
chimpanzé, après s'être différenciés de cet ancêtre
hypothétique).

L'inscription de l'histoire naturelle dans une perspective écologique

En même temps que Linné pose les fondements
de la taxonomie moderne, le Français Georges-
Louis Leclerc, comte de Buffon (1707-1788),
entreprend la publication de sa colossale *Histoire
naturelle, générale et particulière* (1749-1778) en
trente-six volumes, soit une somme exhaustive

---

4. Arthur O. Lovejoy, *The Great Chain of Being: A Study of the History of an Idea*, 1936.

des connaissances accumulées dans ce domaine. L'auteur y met l'accent sur la nécessité de replacer les animaux et les plantes dans leur milieu naturel, pour mieux les comprendre. L'ouvrage est un succès mondial et le naturaliste allemand Alexander Von Humboldt (1769-1859) s'inspirera de son approche holistique dans son analyse descriptive (en vingt et un volumes) de la flore et de la faune des régions du Nouveau Monde qu'il explora entre 1799 et 1804.

Les notions d'environnement et d'adaptation à l'environnement, cruciales pour la pensée évolutionniste, commencent ainsi à émerger. Alfred Russel Wallace, le coauteur de la théorie darwinienne de l'évolution, sera, avant la lettre, et comme Darwin lui-même d'ailleurs, un éminent écologiste. Et pour cause, l'histoire de la vie, telle que conçue par les évolutionnistes darwiniens, apparaît comme une suite infinie de défis lancés aux organismes: les espèces qui s'adaptent survivent et poursuivent l'aventure, tandis que celles qui n'y parviennent pas sont éliminées et disparaissent.

L'essor de la géologie et de la paléontologie

Ces deux nouvelles sciences historiques sont étroitement liées l'une à l'autre, car la géologie

s'occupe de l'histoire de la Terre, tandis que
la paléontologie s'intéresse à celle des espèces
animales et végétales disparues. De ces deux
sciences, la géologie semble avoir connu la ges-
tation la plus longue et la plus difficile, à cause
de la nature de ses travaux. En effet, ce domaine
privilégiait une chronologie beaucoup plus
longue que la chronologie biblique. Elle allait
donc à l'encontre de principes religieux qui, à
l'époque, faisaient encore autorité. On notera
au passage que ce sujet est toujours d'actualité
puisque les créationnistes s'appuient davantage
sur les acquis de la géologie plutôt que sur ceux
de la paléontologie, dont ils n'ont souvent pas
grand-chose à dire. Ce débat sur les questions
de chronologie, ou plus précisément d'échelles
temporelles, constitue donc une clé essentielle.

Au moment où naît Darwin, le débat est en
train de se résorber, grâce à la révolution indus-
trielle et son insatiable appétit de ressources
minières. À cette époque, l'Anglais William
Smith (1769-1839), un simple arpenteur et
un homme du peuple, pose les fondements de
la théorie de ce qu'il est maintenant convenu
d'appeler «la colonne stratigraphique». Il s'agit
d'un fait géologique, observable en de multiples
endroits, selon lequel les roches volcaniques et
sédimentaires qui n'ont pas été perturbées par
des accidents tectoniques forment des couches

ou strates superposées. Puis, tributaire, peut-être sans le savoir, d'un certain nombre de devanciers, il énonce deux principes fondamentaux qui deviendront les pierres angulaires de la géologie moderne : la lithostratigraphie et la biostratigraphie. Le premier, connu également sous le nom de la loi de superposition, identifie la chronologie de plusieurs strates : la strate supérieure est la plus récente, la strate inférieure la plus ancienne et les strates intermédiaires occupant des positions intermédiaires. Quant au second, appelé aussi principe de succession faunique, il est essentiel à notre propos. Smith n'était vraisemblablement pas le premier à avoir observé la présence de ce qui ressemblait aux restes pétrifiés, ou fossilisés, d'animaux et de plantes dans certaines roches sédimentaires. Par contre, il était probablement le premier à remarquer que ces restes formaient des assemblages que l'on pouvait retrouver ailleurs, dans des roches du même genre. Une chose est certaine, il a le mérite d'avoir tiré les conclusions de ces deux faits. Il a non seulement noté que ces strates correspondaient à des moments de l'histoire de la Terre, mais aussi de la vie elle-même. Il a ensuite compris qu'elles pouvaient servir de repères chronologiques pour dater les roches et les terrains.

L'heure de la paléontologie avait donc sonné. Elle devait naître de l'autre côté de la Manche,

à Paris, sous les auspices du baron Georges
Léopold Chrétien Frédéric Dagobert Cuvier
(1769-1832). Une bien curieuse figure que cet
homme-là[5] qui, après avoir lutté contre vents
et marées pour fonder une nouvelle discipline
scientifique, devait consacrer le reste de sa vie à
en entraver les progrès. Cuvier était avant tout un
spécialiste de l'anatomie comparée, ou, comme
il disait, du «principe de la corrélation des parties», une discipline qu'il pratiquait comme un
art et dont il était devenu un virtuose. Il se flat-
tait d'ailleurs de pouvoir reconstituer tout un
animal, si grand soit-il, à partir d'une dent et des
fragments d'os. Dès sa jeunesse, il s'était pris d'un
vif intérêt pour les ossements d'animaux inconnus
comme on en trouvait régulièrement au cours de
travaux de terrassement et de perçage de tunnels.
Dès 1796, à l'âge de 27 ans, il se signala à l'attention
de ses pairs par une brillante monographie,
*Mémoires sur les espèces d'éléphants vivants et
fossiles*, où il démontrait que certains ossements
découverts dans l'Ohio devaient appartenir à
une espèce de pachyderme aujourd'hui éteinte.
Cette découverte devait être suivie de beaucoup
d'autres, surtout après que Cuvier eut obtenu

---

5. Cuvier a été tour à tour révolutionnaire iconoclaste et
   un réactionnaire buté. Il était considéré comme un
   intrigant infatigable.

des fonds lui permettant de louer les services de l'ingénieur minier Alexandre Brongniart (1770-1847) pour procéder à l'étude de la géologie du bassin parisien. Avant qu'il soit longtemps, il s'était imposé comme l'autorité mondiale reconnue en matière de faunes et de flores préhistoriques disparues. La grande chaîne des êtres était désormais brisée !

Parvenu au firmament de sa carrière, Cuvier aurait pu s'arrêter là et mettre son extraordinaire connaissance de l'anatomie comparée au service de l'évolution, en rédigeant une démonstration de son principe. Cela aurait même pu être l'un des plus grands succès littéraires scientifiques du siècle. Au lieu de cela, il adopta la position contraire, prenant le parti pris du fixisme en mettant tout en œuvre pour l'imposer comme un dogme. Et comme il disposait de ressources considérables, car c'était un homme influent près du pouvoir, il ne lésinait pas sur les moyens.

Notez bien que j'ai bien dit fixisme, et non créationnisme. En effet, Cuvier, malgré sa charge temporaire de surintendant des facultés de théologie protestantes de France (parce qu'il était d'origine allemande et luthérien) ne se mêlait pas des affaires de Dieu. Il ne s'est jamais prononcé sur la question de la création. Pour lui, les espèces animales éteintes qu'il avait découvertes étaient apparues à un moment

donné pour disparaître à un autre, sans doute
emportées par quelque catastrophe, et un point
c'est tout. Il ne fallait pas chercher plus loin.

***

À la fin des années 1830, lorsque Darwin
commence à travailler à son « long argument »,
les principaux éléments sont en place pour un
plaidoyer sur l'évolution. Pour aller plus loin et
rédiger une vraie théorie de l'évolution, ce qui
était l'ambition de Darwin, d'autres facteurs
étaient requis, notamment l'uniformitarianisme
de Lyell ou l'impact d'une opinion de Thomas
Malthus sur Darwin et Wallace (deux références
dont on reparlera dans une perspective critique).
On pourrait également faire état de l'influence,
indéniable, du docteur Erasmus Darwin
(1731-1802) qui, dans le poème *Zoönomia*
(1794-1795), présentait une vision de l'évolution
des espèces qui ressemble parfois étrangement
à la pensée de son petit-fils. Charles Darwin
s'est pourtant toujours obstiné à nier l'influence
de son propre grand-père.

Le « grand précurseur » dont il faut dire un
mot, même s'il n'a guère impressionné ni Darwin
ni Wallace, c'est Jean-Baptiste Pierre Antoine
de Monet, chevalier de Lamarck (1744-1829),
dont *La philosophie zoologique* (1809), livre
paru l'année même de la naissance de Darwin.
Elle contient le premier exemple d'une théorie

de l'évolution des espèces à la fois approfondie, très bien documentée et solidement structurée. Cette théorie, il faut en parler, même au prix d'une courte digression, se vaut d'abord pour ses mérites intrinsèques, mais aussi pour rétablir une vérité, car la postérité s'est souvent montrée injuste envers Lamarck. Il s'agit d'un auteur sur lequel on a beaucoup médit sans avoir lu ses œuvres et qui, pour ceux qui ont eu la curiosité de le découvrir, ne manque jamais d'être admiré. De plus, le transformisme de Lamarck, théorie rivale du darwinisme rejetée, mais jamais éliminée, demeure une tentation, même si sa construction intellectuelle est sans doute moins rigoureuse. Voilà pourquoi des formes de lamarckisme existent encore aujourd'hui, en marge du courant de pensée dominant.

Voici donc en quelques mots sa théorie sur la «transformation des espèces». Lamarck était tout à fait disposé à admettre que Dieu ait pu créer les premiers êtres vivants, sans doute des créatures d'une grande simplicité, en les extirpant soit directement du néant soit, plus probablement, du limon de la terre par génération spontanée. Il reconnaissait également que ces organismes primitifs avaient dû, dès l'origine, être parfaitement adaptés à leur environnement naturel pour survivre. Mais que s'était-il passé ensuite? Les données de la géologie démontraient que la Terre avait connu une longue histoire, difficile et complexe, au cours de laquelle il était improbable, voire impossible, qu'aucune de ces espèces primitives n'ait pu se maintenir dans leur environnement initial. Dans ce cas-là, comment justifier que la vie, loin de disparaître, ait pu croître et prospérer ? Par ailleurs, il était facile de constater que la terre portait, dans certaines parties de son épiderme rocheux, des restes fossilisés d'animaux et de plantes disparus. Or, ces derniers présentaient des ressemblances plus ou moins marquées avec les espèces animales et végétales actuelles. Par conséquent, que fallait-il penser de ces espèces éteintes et quelles étaient leur place dans le plan de la création ?

Lamarck répondait à ces questions en partant du postulat que Dieu avait conféré aux êtres vivants la capacité innée et, pour ainsi dire indéfinie, de s'adapter aux nombreux changements susceptibles d'affecter son environnement. Il envisageait l'existence de deux forces vitales complémentaires dans la nature, matérielles et observables, dont l'action jumelée permettait d'identifier toutes les particularités de toutes les espèces vivantes, actuelles et disparues (anatomiques, physiologiques et autres). Il appelait la première « le pouvoir de la vie ou la force qui tend sans cesse à composer l'organisation ». Il s'agissait, selon lui, d'une tendance constante de la matière vivante à produire des organismes aux structures de plus en plus complexes. La deuxième force avait trait à ce que Lamarck nommait «l'influence des circonstances». Elle révélait la capacité dynamique de l'être vivant à réagir en fonction des causes extérieures, notamment en façonnant le corps de l'animal pour qu'il puisse disposer des organes nécessaires pour relever les défis de son environnement.

Le génie de Lamarck a consisté à articuler ces deux principes, ou «lois», pour montrer comment la complexité d'un organisme peut constituer une ressource adaptative. Stephen Jay Gould, un des rares darwiniens à lui avoir rendu justice, avait une conception de l'évolution quelque peu inspirée de Lamarck, car il pensait qu'un animal, confronté à un nouveau défi environnemental, pouvait éventuellement faire preuve de «créativité» en attribuant une nouvelle fonction à un organe qu'il possédait déjà. Selon Lamarck, l'histoire de la vie apparaissait comme une longue série de processus de transformation par lesquels les vivants avaient acquis des formes de plus en plus complexes. Les espèces disparues étaient tout simplement les ancêtres, directs ou collatéraux, des espèces modernes. Pour le démontrer, il n'avait qu'à faire appel aux ressources de l'anatomie comparée.

Cuvier, le spécialiste de la question, ne pardonnera jamais à Lamarck de l'avoir concurrencé dans son domaine et d'avoir une intelligence qui faisait ombrage à la sienne. Il poussera la mesquinerie jusqu'à ridiculiser ses idées, le jour de ses funérailles, au moment de prononcer son oraison funèbre devant l'ensemble de la communauté scientifique française[6].

Ce qui fait le charme et la faiblesse de la théorie de Lamarck, c'est le rôle central qu'elle prête à la notion, éclairante, mais au potentiel opératoire limité, de « fonction ». Pour Lamarck, le corps animal est constitué de parties qui remplissent des fonctions, comme les rouages d'une machine. Il s'agit là d'une perspective très classique liée à une conception encore assez contemplative de la science. En dépit de son matérialisme, Lamarck reste donc un fils des Lumières, plus à l'aise

---

6. Ce texte, chef-d'œuvre de méchanceté, a été quelque peu allégé en raison de la présence des amis du défunt. Il a néanmoins fait le tour du monde et reste à l'origine de plusieurs illustrations caricaturales de la pensée de Lamarck qui, depuis, sévissent dans les manuels. Les histoires de canards qui, à force de plonger deviennent des brochets, et des brochets qui, à force de se trouver au sec se changent en canards (pour ne rien dire de la célèbre girafe qui a tant voulu brouter des tendres feuilles qui poussent au sommet des arbres que son cou a fini par s'allonger…).

dans l'analyse que dans l'explication. À l'inverse, Darwin, pour des raisons que l'on verra plus tard, aspire à bannir toute idée de téléologie dans le discours des sciences naturelles. Il nie donc tout principe de but, et par extension de fonction. Ironie du sort, ni lui, ni ses émules n'y parviendront jamais. Ils auront beau proscrire le mot de leur vocabulaire, le concept continuera de les suivre. En effet, si la théorie de l'évolution parvient assez facilement à faire l'économie de la téléologie, il est encore de nos jours impossible d'en faire abstraction, car les sciences naturelles qui décrivent les résultats de l'évolution sont conçues en termes de fonction.

Mais n'anticipons pas sur l'ordre des matières. Avant de procéder à une critique du darwinisme, il convient de voir de quoi il s'agit.

2

La théorie de l'évolution

La théorie de l'évolution naturelle, telle que Darwin l'expose dans *L'origine des espèces*, les prémisses, en quelque sorte, de son «long argument», tient à la combinaison de cinq propositions d'une simplicité désarmante. Les voici:

- Si tous les individus qui forment une espèce réussissaient à se reproduire, la population constituée par cette espèce augmenterait de façon incontrôlable.
- Les populations tendent à se maintenir à peu près en nombre d'une année à l'autre.
- Les ressources environnementales sont limitées.
- Il n'y a pas deux individus dans une espèce donnée qui soient exactement semblables.
- Une bonne partie des variations que l'on observe dans une population donnée peut être transmise à sa progéniture.

Les propositions qui se réfèrent le plus au même sujet et qui forment une sorte d'unité apparente sont les trois premières (en particulier la première et la deuxième). Elles ont trait à des questions de démographie. La première suggère la présence d'une tendance à la surpopulation liée à l'instinct de reproduction qui pousse les individus d'une même espèce à laisser derrière eux une progéniture. En cas de succès hypothétique, suggère-t-on, il adviendrait une explosion démographique (Proposition 1). Mais, s'empresse-t-on d'ajouter, ce n'est pas ce qui se produit. Dans les faits, on constate que, loin de souffrir de surpopulation, les populations, année après année, tendent à une certaine stabilité démographique (Proposition 2). On doit donc supposer qu'il existe un facteur ou un mécanisme naturel qui contrôle cette tendance et régule l'activité reproductive des membres d'une population donnée.

Mais quel pourrait être ce facteur ou mécanisme correctif? Il ne faut pas ici être grand clerc pour soupçonner que la réponse se trouve dans la troisième proposition, selon laquelle «les ressources environnementales sont limitées». L'affirmation paraîtra banale, mais, en fait, c'est exactement l'idée dont on a besoin pour poursuivre notre argument. Il suffit de se rappeler que, dans la nature, il n'y a pas de frein plus efficace, et plus brutal, à une poussée démographique, que l'insuffisance de la nourriture. Si dans une population donnée le nombre de bouches à nourrir excède les ressources alimentaires disponibles sur son territoire, il est d'ores et déjà acquis qu'une partie de cette population ne survivra pas jusqu'à la saison nouvelle.

Ces propositions évoquent immédiatement de sombres tableaux de «lutte pour l'existence», des images d'animaux de la même espèce, ou d'espèces différentes, se livrant des combats acharnés, pour la survie. L'issue est toujours la même : c'est le plus fort qui l'emporte, c'est le triomphe de la loi de la jungle. C'est là une conception du darwinisme qui a beaucoup circulé, horrifiant les uns et séduisant les autres, dont le jeune Adolf Hitler qui la découvrit dans ses années de misère, à Vienne, à travers le prisme déformant d'une certaine littérature de vulgarisation. Peut-on, de quelque façon, attribuer à Darwin lui-même la paternité de cette vision de la vie qui, appliquée au monde humain, a eu les effets désastreux que l'on sait, sous la forme de ce qu'il est depuis longtemps convenu d'appeler «le darwinisme social»? Certains de ses adeptes, aux vues sociales amples et généreuses, dont Stephen Jay Gould, voudraient bien pouvoir le nier, mais l'évidence est là : Darwin, bourgeois bien nanti du XIXe siècle, partageait plusieurs des préjugés sociaux, racistes, ou même sexistes de sa classe et de son temps. Sans doute convient-il de faire la part de l'idéologie et de la science. Il reste que Darwin, même s'il n'était pas le premier à formuler ces «idées dures et cruelles», les a faites siennes et les a intégrées à sa propre théorie de l'évolution, dont elles constituent en quelque sorte l'amorce. L'évolution? Même si le mot lui-même n'apparaît nulle part dans les cinq propositions, c'est de cela qu'il s'agit malgré tout.

Dans les trois premières propositions, Darwin pose les jalons de sa théorie en inscrivant son propos dans la durée. Ainsi, quand il évoque des populations qui «tendent à se maintenir à peu près en nombre d'une année à l'autre», ce ne sont pas nécessairement les variations démographiques annuelles qui l'intéressent, mais plutôt les tendances de fond, observables sur des périodes importantes. De même, il conçoit le «succès reproducteur» au-delà de la simple capacité de se reproduire, en enfantant ou engendrant une progéniture qui pourrait ne pas survivre jusqu'à la saison nouvelle. Il va plus loin, en considérant le fait de laisser une descendance derrière soi, phénomène qui contribue à la poursuite de l'histoire de la vie.

Darwin ne conçoit l'évolution que dans le long terme et sur un fond de stabilité. Il se montre en cela l'adepte des théories de son compatriote, le géologiste Charles Lyell (1797-1875), qu'il avait découvertes dans sa jeunesse, à l'époque de son grand voyage de circumnavigation à bord du HMS Beagle (1831-1836).

Dans ses *Principes de géologie*[7], Lyell s'opposait au catastrophisme de Cuvier, pour qui la Terre, avait dû subir, au cours des âges, de profonds bouleversements, seul moyen pour expliquer les extinctions massives de faunes et de flores préhistoriques, ou encore l'existence de formations géologiques spectaculaires (telles les hautes chaînes de montagnes). À titre d'autre possibilité, Lyell proposait l'uniformitarianisme. Selon sa conception, la Terre n'avait jamais été soumise, au cours de sa très longue histoire, à d'autres processus géologiques que ceux que nous observions en action. De même, les montagnes s'étaient élevées progressivement au-dessus du niveau de la mer (millimètre par millimètre), et il avait fallu à la nature d'immenses périodes de temps et d'innombrables générations pour former de nouvelles espèces vivantes à partir de celles existantes. Darwin a donc conçu l'évolution des espèces sur le modèle que lui offrait Lyell.

Mais quel pouvait être le mécanisme de cette création ? Contre toute attente, c'est dans la quatrième proposition que Darwin révèle le fond de sa pensée : « il n'y a pas deux individus dans une espèce donnée qui soient exactement semblables ». Si ce principe est sans doute du

---

7. Charles LYELL, *Principles of Geology*, John Murray, Londres, 1830.

ressort des sciences naturelles, il ne semble pas se rapporter, ni de près, ni de loin, à la thématique de l'évolution. Or, il constitue le maillon essentiel de l'argument de Darwin. Pour le comprendre, il faut pouvoir se placer dans la logique du naturaliste qui est somme toute de la plus haute généralité. Tous les membres d'une même espèce sont à la fois semblables et différents les uns des autres, au point où il ne saurait y en avoir deux qui soient exactement identiques, par toute une série de traits observables (par exemple la couleur des yeux chez les humains). La plupart de ces traits n'ont généralement aucune incidence sur la vie des individus qui constituent une espèce. On peut néanmoins facilement imaginer des situations, des contextes, ou des environnements, dans lesquels tel ou tel trait pourrait constituer un avantage ou un inconvénient concurrentiel important, voire même décisif.

Posons l'hypothèse, par exemple, d'une population de mites à l'intérieur de laquelle la couleur, sombre ou claire, des ailes et du reste du corps constituerait un trait distinctif important. Dès lors, on pourrait distinguer une variété blanche et une variété noire et, sans doute également, des variétés intermédiaires. Supposons maintenant que cette population soit amenée à coloniser une forêt où, au fil des ans, les arbres ont acquis des teintes sombres à cause de la pollution de l'air environnant, saturé de suie. Il est évident que dans un tel environnement, la couleur ou la teinte, sombre ou claire, de chacune des variétés qui composent notre population de mites, constitue un avantage ou un inconvénient décisif. En effet, pour la mite noire, le fait d'être sombre représente un atout de survie très appréciable, dans la mesure où ce trait lui permet de se camoufler à la vue des oiseaux et de prédateurs éventuels. Par contre, la mite blanche se trouve désavantagée, en danger mortel même, en se désignant involontairement comme une proie. Dans ces conditions, il y a tout lieu de croire que les mites blanches auront été décimées, avant la fin de l'été ou de l'année, tandis que les noires se seront mieux tirées d'affaire. Et il devrait en être ainsi dans un avenir prévisible, les mites blanches demeurant vouées à une extinction annuelle tant que les mêmes conditions environnementales se poursuivront.

Doit-on en conclure que la catégorie noire est destinée à supplanter la blanche ? Sans doute, répond Darwin. Mais il ajoute : encore faut-il comprendre comment il doit en être ainsi. Et son génie, parvenu à ce point de son argument, consiste à poser la question, non pas en termes de mort et de survie des individus, mais du point de vue de leur succès reproducteur. En d'autres mots, ce qui nous donne à penser que la quantité de mites blanches aurait proportionnellement été réduite dans les prochaines années, n'est pas uniquement dû à leur extinction causée par une impitoyable logique. Elle dépend aussi de leur incapacité à se reproduire, car elles auront été dévorées par un oiseau ou un quelconque prédateur. Or, une réduction du nombre de progénitures ne peut qu'entraîner un déclin de la population entière, étant donné que seul un géniteur blanc peut avoir une progéniture blanche, et vice versa pour la couleur noire.

C'est en somme ce qu'affirme Darwin dans sa cinquième et dernière proposition : «Une bonne partie des variations que l'on observe dans une population donnée peuvent être transmises à sa progéniture». Le processus dont je viens de décrire les grandes lignes constitue l'essentiel de sa contribution aux sciences naturelles. Il l'a lui-même appelé processus ou mécanisme de « sélection naturelle ». Cette expression est à mettre en corrélation avec celle de « sélection artificielle», pour laquelle il comprend l'ensemble des techniques dont se servent les éleveurs et les horticulteurs pour améliorer les « races » de plantes et d'animaux confiées à leurs soins. Pour la plupart, ils y parviennent en choisissant, ou en sélectionnant, pour la reproduction les jeunes plants et animaux féconds qui présentent les qualités ou particularités que l'on souhaite cultiver.

Ils prennent d'ailleurs un soin jaloux à exclure les profils moins bien pourvus à cet égard.

La thèse de Darwin consiste ainsi à soutenir que la Nature, pour produire de nouvelles espèces, s'y prend à peu près de la même façon que les agriculteurs. Il s'emploie à nous le démontrer dans une bonne partie de son ouvrage *L'origine des espèces.*

***

Voilà donc en quoi consiste la célèbre théorie darwinienne de l'évolution, admirée par les uns et fustigée par les autres. Depuis le siècle et demi où son père l'a soumise à l'attention du monde savant, cette théorie a soulevé un grand nombre de questions et d'objections. Ces dernières seront examinées et discutées dans les pages qui vont suivre. Nous nous attarderons ensuite sur quelques-unes des difficultés, apparentes et réelles, que suscite la théorie sur un plan proprement scientifique. Puis, nous finirons par une série de considérations générales sur les rapports, complexes et difficiles, entre la théorie de l'évolution et la théologie chrétienne.

3

La théorie et la réalité

Là où certaines des conclusions de la théorie de l'évolution se heurtent immédiatement à des difficultés, c'est sur le plan du sens commun. De prime abord, on ne saurait trop s'en inquiéter. En effet, c'est à peu près dans tous les domaines scientifiques que l'écart se creuse entre, d'un côté, les conclusions de la science et le mode de pensée scientifique lui-même, et de l'autre, les présupposés et usages quotidiens de la raison commune. Il demeure que la théorie de l'évolution pose un certain nombre de problèmes qui, sans être fatals, n'en sont pas moins formidables.

Elle concerne tout d'abord notre incapacité à envisager sérieusement l'idée que les radis (dont nous sommes en train de couper les queues) et nous-mêmes puissions descendre d'un ancêtre commun. Et pourtant, c'est ce qu'affirme la théorie: tous les êtres vivants sur Terre sont issus de formes vivantes antérieures et, éventuellement, d'un seul ancêtre originel, le même pour tous (y compris les hommes et les radis). On tentera de rendre cette notion plus acceptable en ajoutant que cet ancêtre commun du radis et de l'*Homo sapiens* vivait il y a fort longtemps, c'est-à-dire il y a des millions d'années. Or, cette précision ne semble qu'accentuer la difficulté, dans la mesure où de telles durées ne tombent pas sous le sens, pas plus que des périodes de l'ordre d'un million, et même de quelques dizaines de milliers d'années.

Il faut se rendre à l'évidence : pour la plupart d'entre nous, les prémisses et les conclusions de la science, autant que le discours scientifique, appartiennent à la pensée abstraite. Ce principe ne serait pas si gênant s'il n'avait pas de profondes conséquences sur le plan même de la réception des idées scientifiques. C'est spécialement le cas du mode de pensée téléologique, ou mode d'explication par les causes finales, qui imprégnait l'ensemble des sciences naturelles à l'époque de leur premier fondateur, Aristote, mais dont les scientifiques modernes, darwiniens en tête, ont tout fait pour se débarrasser. La pensée téléologique relève toutefois de la pensée commune, ainsi que le notait le philosophe écossais David Hume (1711-1776), dont le nom, plus que tout autre, est associé à la critique de ce mode de pensée. Dans ses *Dialogues on Natural Religion* (1779), il conclut que l'esprit humain demeurera intimement persuadé que les merveilles de la nature sont le produit d'un ouvrier ou d'un créateur intelligent, même si ce phénomène est justifié différemment par les philosophes, notamment par le jeu de forces opérant au hasard (depuis les structures fines du corps de la mouche à la mécanique céleste)[8].

Cela Darwin le savait mieux que quiconque. C'est la raison pour laquelle, tandis qu'il travaillait à son grand livre, il éprouvait des sueurs froides à la seule idée d'avoir éventuellement à rendre compte de la construction de l'œil en terme d'évolution et de sélection naturelle. Depuis, ses successeurs se sont dotés d'un scénario plausible qui demeure somme toute satisfaisant, du moment où on ne s'aperçoit pas qu'il est né, pour l'essentiel, du fruit de l'imagination des darwiniens et des paléontologues. À leur décharge, il faut reconnaître que l'évolution de l'œil n'est pas quelque chose qui se laisse facilement documenter. Il s'agit en effet d'une partie molle du corps. Or, en dehors de circonstances exceptionnelles, ces parties, à la différence des parties dures (les dents, les os), ne laissent aucune trace dans les archives fossiles. Dans les meilleurs des cas, ces traces sont indistinctes pour être

---

8. Il s'agit ici d'un résumé de l'ensemble de l'ouvrage dont la structure argumentative est assez touffue.

utiles. Le scientifique en est donc réduit à des conjectures pour étayer ses reconstitutions, et doit être le plus informé possible sur le contexte. Or, la majorité de nos représentations imagées de l'histoire de la vie sont fondées sur de telles conjectures.

Ce fait, secret le mieux gardé de la paléontologie, n'est pas vraiment problématique, ou ne devrait pas l'être, puisqu'il marque les limites des connaissances humaines. Il peut néanmoins le devenir pour le profane qui nourrit des attentes surréalistes vis-à-vis de la science et de ce qui constitue une preuve scientifique. L'exemple classique est celui du chaînon manquant, un problème de paléontologie humaine, ou plutôt un faux problème, que les adversaires de la théorie de l'évolution ne cessent de lui opposer depuis le XIXe siècle. Il consiste essentiellement à poser le défi suivant aux évolutionnistes : si Darwin a raison et que « l'Homme descend du singe », vous devriez être en mesure de fournir la preuve fossile de l'existence passée d'au moins une ou, préférablement, de toute une série de formes animales intermédiaires entre les ancêtres simiesques et l'Homme.

À première vue, la requête est empreinte de bon sens, car en principe la preuve devrait être aisée à produire. Il devrait donc en être du grand public comme de cette tante, nommons-la Alice, qui ne parvient pas à accepter que le grand gaillard qu'on lui présente aujourd'hui puisse être le même individu que son neveu, le petit Jeannot qu'elle n'a pas vu depuis qu'il avait trois ans: pour l'en convaincre, il suffira de lui montrer un album plein de photos de Jeannot qui ont été prises, à intervalles réguliers, au cours des vingt dernières années. L'ennui, pour les anthropologues, est qu'ils ne disposent pas, de quelque chose qui ressemblerait, même de très loin, à un tel album, pour illustrer l'évolution humaine.

Il y a pour cela d'excellentes raisons qui se sont précisées au cours des deux derniers siècles, alors même que notre connaissance des «ancêtres de l'Homme» progressait à pas de géant. L'une d'entre elles est que la fossilisation des restes animaux demeure un phénomène exceptionnel, qui a lieu dans certains environnements, notamment dans les savanes de l'Afrique orientale, dont on suppose qu'elles auraient été le berceau de l'humanité. Une autre raison est que la majorité des restes «hominidés» découverts au fil des ans étaient fragmentaires (une dent, un morceau de mandibule ou de fémur...). Les spécimens «bien conservés» sont très rares, et aucun squelette intact n'a même jamais été découvert. Enfin, il y a la réponse issue de «la théorie des équilibres ponctués» mise au point, en 1972, par le paléontologue américain

Niles Eldredge, en collaboration avec Stephen
Jay Gould.

Selon ces chercheurs, « la spéciation[9] » des
humains aurait eu lieu sur une période de temps
relativement courte, à l'intérieur d'une aire géographique assez restreinte. Il serait donc vain
d'en chercher des témoignages fossiles, étant
donné que la plupart des processus évolutifs ne
laissent pas de traces fossiles. Un autre « secret
de la paléontologie » étroitement apparenté au
premier.

Parmi les idées répandues dans le grand
public, l'une des plus coriaces et des plus nui-
sibles à la diffusion de la théorie de l'évolution
est celle du terme de « théorie » qui s'apparente à
une hypothèse qui n'a jamais été « véritablement »
démontrée.

À cela, ses partisans ont une réponse sans
appel : une telle objection ne peut être soulevée
que par des gens qui n'ont aucune idée de la
véritable signification du mot « théorie » dans les
sciences. En effet, dans son langage, il ne s'agit de
rien de moins que du cadre conceptuel et archi-
tectonique du développement d'une science
(par exemple, la biologie) ou d'un ensemble de

---

9. Différenciation de l'espèce humaine vis-à-vis de la branche de
l'arbre de la vie, par laquelle nous serions apparentés aux chim-
panzés plus près que n'importe quelle autre espèce animale.

sciences apparentées (par exemple, les sciences de la vie en général). La réponse, bien que recevable sur le plan polémique, ne porte que sur une partie de la question. Elle ignore complètement le rôle fondamental joué par l'histoire même de la théorie dans la formation de cette notion, aujourd'hui totalement fausse, mais qui jadis l'était sans doute moins. Car on se souviendra que, pendant sa vie et longtemps après sa mort, Darwin était davantage reconnu pour sa qualité de propagandiste du principe d'évolution plutôt que comme un théoricien à part entière. Par ailleurs, l'esquisse de sa théorie, aussi brillante soit-elle, présentait certaines lacunes, notamment dans sa cinquième proposition. En effet, pour que son modèle d'explication puisse fonctionner, il était absolument indispensable que les traits observables d'un individu, et en particulier les traits favorables à sa survie et à son succès reproducteur, puissent être transmis d'une génération à l'autre. Il n'y avait pas à douter du fait même de l'hérédité: l'amélioration des races d'animaux et la culture de nouvelles variétés de plantes n'en offraient-elles pas constamment d'innombrables exemples? C'est sans parler du miracle perpétuel de la reproduction elle-même, ou de cette capacité stupéfiante des êtres vivants à ne cesser de produire des êtres semblables à eux-mêmes.

Mais pour Darwin, le mécanisme de l'hérédité demeurait aussi mystérieux qu'il l'avait été aux yeux d'Aristote. Qu'à cela ne tienne : dans un effort titanesque pour surmonter l'impasse, Darwin émet l'hypothèse, essentiellement spéculative, de « la pangénèse » (*pangenesis*), une idée brillante et ingénieuse, mais que l'Histoire ne retiendra pas. Ce que Darwin ne soupçonne pas, c'est qu'au moment où il décide enfin de communiquer sa « découverte » au monde savant dans son ouvrage *La variation des animaux et des plantes en régime de domestication*[10], les vraies lois de l'hérédité ont déjà été dégagées et publiées par un parfait inconnu, un religieux d'Europe centrale, le père Gregor Mendel, de l'ordre des Augustins (1822-1884) dans *Recherches sur des plantes hybrides*[11]. Sans doute était-il écrit que la solution d'une telle énigme devait revenir non pas à un fils de médecin, observateur né, peu porté sur l'expérimentation, mais à un fils de paysans, jardinier enthousiaste et surtout habitué depuis toujours à penser en termes de rendement et de bonification du rendement.

Dès lors, le destin de la théorie darwinienne demeurera indissolublement lié à celui de la

---

10. Charles DARWIN, *The Variation of Animals and Plants Under Domestication*, 1868.

11. Gregor MENDEL, *Versuche über Pflanzenhybriden*, 1866.

théorie mendélienne. Le darwinisme s'en-
foncera dans une période de stagnation qui
persistera tant que les idées de Mendel res-
teront elles-mêmes enfouies dans les pages
d'une obscure revue savante de Brünn que
personne ne lit dans les académies de France
et d'Angleterre. Puis, vers 1900, les travaux
de Mendel commencent à être considérés par
les chercheurs étrangers qui en reconnaissent
immédiatement la qualité et les extraordi-
naires possibilités. Le Néerlandais Hugo de
Vries (1848-1935) formule alors le concept de
mutation (*La théorie des mutations*[12]), destiné
à devenir l'un des concepts clés de la nouvelle
science. En parallèle, le Britannique William
Bateson (1861-1926) la baptise du nom de
«génétique», tandis que l'Américain T. H. Morgan
(1866-1945) décide de substituer la mouche
à fruit, ou mouche drosophile, aux petits pois
de Mendel comme matériau privilégié des
expériences dans le domaine. Dans ces labora-
toires, les expériences de Mendel sont reprises,
confirmées et développées.

Ainsi, une nouvelle science voit bientôt le
jour : la génétique des populations. C'est grâce
à elle que la théorie darwinienne sortira peu à
peu de l'ombre comme en témoignent les titres

12. Hugo DE VRIES, *The Mutation Theory*, 1900-1911.

des ouvrages des principaux chercheurs qui en
ont illustré les progrès : *La théorie génétique
de la sélection naturelle*[13] de R.A. Fisher
(1890-1962), *Les causes de l'évolution*[14] de J.B.S.
Haldane (1892-1964), ainsi que *L'évolution et
la génétique des populations*[15] de Sewall Wright
(1889-1988).

Au début des années 1930, la renaissance
de la théorie darwinienne de l'évolution avait
progressé. Quatre jeunes chercheurs, venus
de pays et d'horizons intellectuels différents,
mais tous à l'emploi de prestigieuses universités
américaines, ont pris le risque de consacrer
leurs carrières à sa refonte, à la lumière des
découvertes effectuées depuis Darwin, notamment
dans le domaine de la génétique. Il s'agissait de
l'Ukrainien Theodosius Dobzhansky (1900-
1975), de l'Allemand Ernst Mayr (1904-2005)
et des Américains George Gaylord Simpson
(1902-1984) et G. Ledyard Stebbins (1906-
2000).

13. R.A FISHER, *The Genetical Theory of Natural Selection*, 1930.

14. J.B.S. HALDANE, *The Causes of Evolution,* 1932.

15. Sewall WRIGHT, *Evolution and the Genetics of Populations*, 1984.

Dobzhansky, le visionnaire, auteur de *La génétique et l'origine des espèces*[16], était le membre clé du groupe. C'est lui qui a jeté des ponts entre les phénomènes de microévolution examinés en laboratoire et ceux de macroévolution observés dans la nature sauvage. Il a démontré qu'il n'y avait pas de solution de continuité d'une échelle à l'autre. À partir de là, l'unité des sciences de la vie sous la tutelle évolutionniste était assurée. Mayr, le systématicien, auteur de *Systématique et l'origine des espèces*[17] — dont les travaux s'inscrivaient dans la perspective de ceux de Sewall Wright — élabora, d'une part, des modèles mathématiques qui permettaient de suivre dans l'espace, les regroupements, sans cesse changeants, des individus porteurs de mutations, et de discerner, de l'autre, les configurations favorables à la spéciation, c'est-à-dire à la création de nouvelles espèces. Mayr a également rendu un service inestimable à la théorie en produisant une définition rigoureuse de la notion biologique d'espèce, une autre chose qui manquait au darwinisme classique.

Il en est de même pour Gaylord Simpson, le paléontologue auteur de *Rythme et mode en*

---

16. Theodosius Dobzhansky, *Genetics and the Origin of Species*, 1937.

17. Ernst Mayr, *Systematics and the Origin of Species*, 1942.

évolution[18], dont la démarche a été de rendre respectable le darwinisme aux yeux de ses confrères. Il se trouve en effet que Darwin, dont ce n'était pas la spécialité, n'avait fait qu'un usage sporadique, et parfois assez cavalier, des données de la paléontologie. La théorie avait ainsi d'abord bénéficié, puis souffert, de l'utilisation «péda-gogique» répétée d'un petit nombre d'exemples « illustratifs» qui avaient mal vieilli. C'était notamment le cas de la version darwinienne classique de l'évolution du cheval, si chère à Thomas Huxley, le principal partisan du naturaliste. Simpson se dépensera sans compter pour non seulement actualiser des explications dépassées, mais aussi insister sur le fait que le darwinisme «mis à jour» de Mayr et Dobzhansky permettait d'articuler les interprétations les plus probables sur le plan des archives fossiles.

Enfin, Stebbins, le botaniste auteur de *Variation et évolution dans les plantes*[19], est celui qui se char-gera d'intégrer à la synthèse sa discipline, souvent négligée des évolutionnistes. Grâce à ces hommes et à quelques autres, le darwinisme était devenu une théorie scientifique au sens noble du terme. Cette théorie est appelée «le néo-darwinisme»,

---

18. Gaylord SIMPSON, *Tempo and Mode in Evolution*, 1944.

19. G. Ledyard STEBBINS, *Variation and Evolution in Plants*, 1950.

quand d'autres la nomment « la nouvelle synthèse». Le choix de cette dernière expression est un hommage discret au chef-d'œuvre de son meilleur défenseur, Julian Huxley (1887-1975), dans le livre *Évolution : la synthèse moderne*[20].

En 1973, deux ans avant sa mort, Theodosius Dobzhansky publiait un article au titre percutant : *Rien en biologie n'est compréhensible à moins que ce ne soit à la lumière de l'évolution*[21]. Il y conclut son propos en citant quelques lignes de son ami, le père Teilhard de Chardin, où ce dernier explique ce que représente désormais la conception darwinienne de l'évolution : « [L'évolution] est un postulat général, devant lequel toutes les théories, toutes les hypothèses, tous les systèmes doivent dorénavant s'incliner et auquel ils doivent satisfaire pour être pensables et vrais. L'évolution est une lumière qui illumine tous les faits, une trajectoire que doivent suivre toutes les lignes de la pensée — voilà ce qu'est l'évolution[22]. »

---

20. Julian HUXLEY, *Evolution : The Modern Synthesis*, 1942.

21. Theodosius DOBZHANSKY, « Nothing in Biology Makes Sense Except in the Light of Evolution », *The American Biology Teacher* n° 35, mars 1973, p. 126-129.

22. *Ibid.* La traduction est de l'auteur.

4

Les critiques modernes

Pour les adversaires créationnistes de la théorie de l'évolution, ignorants des procédés scientifiques et généralement peu au fait de la véritable nature de ce qu'ils attaquent, tous les arguments sont bons. Ils profitent même des débats entre darwiniens, pour les présenter comme les signes d'un effondrement imminent de la théorie. Alors quand les médias et les politiciens s'en mêlent, c'est le chaos.

C'est ce qui s'est produit lors de la campagne présidentielle américaine de 1980, lorsque le candidat Ronald Reagan, de passage à Dallas, annonça la mort prochaine du darwinisme auquel, paraissait-il, certains de ses plus fervents partisans ne croyaient plus vraiment. Quelle ne fut pas la surprise de Niles Eldredge (né en 1943) et de Stephen Jay Gould (1941-2002) d'apprendre que cette remarque du futur président les visait implicitement, ainsi que leur théorie de l'équilibre ponctué! Et pourtant, de leur point de vue, cette théorie, publiée en 1972, malgré son aspect quelque peu audacieux, demeurait dans les limites du darwinisme le plus orthodoxe. En fait, il ne s'agissait que de reprendre les intuitions de Mayr, de Dobzhansky et de certains autres, pour suggérer que si l'histoire des espèces est caractérisée en grande partie par de longues périodes de stabilité, cet équilibre est occasionnellement ponctué de moments de cladogénèse[23]. Or, il semblerait que certains créationnistes, friands de chronologies raccourcies, se soient mépris sur les échelles temporelles dont il était question. D'ailleurs, le fait que les idées d'Eldredge et Gould aient été l'objet de vives critiques, dans les milieux scientifiques de l'époque, n'a pas arrangé les choses.

Aujourd'hui, la théorie de l'équilibre ponctué est en perte de vitesse. Cela ne veut pas dire qu'elle soit vouée à l'oubli, dans la mesure où les sciences aussi sont une affaire de mode. Seul l'avenir pourra juger de sa valeur.

Il y a malgré tout un point sur lequel il convient de donner raison aux créationnistes. Les théories scientifiques, à l'instar de toutes les productions humaines, sont mortelles et la théorie de l'évolution ne fait pas exception. Darwin lui-même a pu

---

23. Processus d'accélération du rythme de l'évolution, par suite de l'isolation géographique de petites populations. Cela expliquerait notamment la rareté, sinon l'absence totale, de fossiles témoins d'épisodes de spéciation.

croire, à un moment donné, que l'œuvre de sa vie allait s'effondrer. C'était en 1868, à l'époque où il était plongé dans les problèmes liés à la théorie de la pangénèse. William Thomson[24], le plus grand physicien britannique de l'époque et adversaire depuis longtemps avéré de la théorie de l'évolution, annonçait qu'il venait de recalculer l'âge du système solaire et de la Terre. Il en avait conclu que notre planète était beaucoup plus jeune qu'on en était venu à le penser (quelques millions d'années seulement). Or, nous savons que la théorie requiert que l'évolution des espèces s'étale sur de très longues périodes. Darwin ne pouvait donc manquer de s'émouvoir à cette annonce. Il mobilisa ses amis et ses proches (dont son fils George mathématicien), poussant la précaution jusqu'à apporter quelques modifications à la cinquième édition de *L'origine des espèces*. Par bonheur, il s'agissait d'une fausse alerte : il apparut bientôt que le milieu scientifique s'orientait dans un sens opposé à celui de Kelvin, et favorable à Darwin.

***

Depuis cent cinquante ans qu'elle existe, la théorie darwinienne de l'évolution a résisté contre vents et marées. Elle a essuyé maintes critiques dont ses partisans ont su tirer des

---

24. Premier Baron Kelvin, Lord Kelvin (1824-1907).

modifications utiles. Elle a même traversé une longue période obscure dont elle est sortie victorieuse, au point de finir par s'imposer comme la doctrine de l'*establishment* scientifique. Son avenir paraît assuré... Et pourtant, les signes se multiplient pour annoncer que la théorie est entrée dans une période de crise interne. Cette crise résulterait d'une tentative, sans doute prématurée, de faire un grand bond en avant en opérant une deuxième « nouvelle synthèse ».

Tout a commencé en 1964, avec la publication d'un étonnant article en deux parties intitulé: *L'évolution génétique du comportement*[25]. Signé d'un jeune chercheur du nom de William Donald Hamilton (1936-2000), cet écrit préconisait un renversement complet des perspectives de la théorie de l'évolution. Selon lui, la théorie devait être recentrée, des individus, qui en avaient toujours été l'objet, aux gènes eux-mêmes, qui devaient désormais en être reconnus comme le sujet véritable. Si certains en furent scandalisés, d'autres furent séduits. L'approche d'Hamilton apportait une réponse simple et élégante à un vieux problème qui avait toujours tourmenté les darwiniens: l'altruisme.

---

25. William Donald HAMILTON, « The genetical evolution of social behaviour », *Journal of Theoretical Biology,* n° 7, 1964, p. 1-16 et 17-52.

En effet, comment justifier le fait, constamment observé dans la nature, que certains animaux puissent courir de graves dangers, qu'ils puissent même sacrifier leur vie pour le bien et la survie d'autres individus de la même espèce? On ne pouvait concevoir que la sélection naturelle puisse rendre compte d'un tel phénomène. Sans doute Darwin lui-même avait-il reconnu que la sélection naturelle ne pouvait être qu'un élément d'une pluralité mécanique de l'évolution. Cependant, rien de ce que Darwin avait écrit au sujet des autres mécanismes envisageables (par exemple, la sélection sexuelle) ne semblait contenir le germe d'une réponse à cette question. Le problème demeurait donc entier, et même quelque peu agaçant, dans la mesure où il semblait inviter l'esprit à ramer à contre-courant par rapport au reste de la théorie.

La réponse de Hamilton était qu'il fallait concevoir que dans la lutte pour la vie, ce sont toujours les intérêts du gène qui priment et non de l'individu. Si un individu, porteur d'un gène, «décidait» donc de se sacrifier pour la survie d'autres membres porteurs du même gène, c'est parce que cela augmentait les chances de ce gène, non seulement de survivre, mais surtout de se reproduire. Comme je l'ai dit précédemment, plusieurs savants ont réservé un accueil mitigé aux idées de Hamilton. À l'inverse, d'autres se sont enthousiasmés. Les enjeux, à vrai dire, étaient de taille, car il s'agissait de combler l'écart entre les sciences de la nature et ce que l'on appelait autrefois « les sciences morales et politiques».

L'un des premiers à reconnaître ce potentiel et à s'y investir dans le livre à succès *Sociobiologie: la nouvelle synthèse*[26], fut l'entomologiste Américain Edward Osborne Wilson (né en 1929). Cet ouvrage se présente comme une synthèse de la sociologie humaine et animale, ainsi que de la biologie évolutive. Il est unique dans les annales du genre, car il est l'œuvre d'un homme qui n'est spécialiste dans aucune des deux principales disciplines concernées. En 1975, l'ouvrage fit scandale, surtout à cause des pages où l'auteur supposait que le racisme, le sexisme, et d'autres horreurs du genre relevaient de la nature et donc qu'on ne pouvait rien y changer.

C'était sans compter l'arrivée du flamboyant Dr Richard Dawkins (né en 1941), dont la personnalité scientifique se distingue de presque toutes les autres figures mentionnées dans ce livre. En effet, il n'a aucune théorie à son actif ni aucune idée scientifique qui serait à la fois originale et viable. Voilà une affirmation contre laquelle le

---

26. Edward Osborne WILSON, *Sociobiology: The New Synthesis*, 1964.

principal intéressé ne manquerait pas de s'insurger. N'est-il pas là lui seul le père de toute une science, la «mémétique»? Sans doute. Il convient toutefois de préciser qu'aux yeux de plusieurs, cette «science» reste à établir autant dans sa réalité que dans celle de son objet (*le même*). Malgré une solide formation (maîtrise et doctorat d'Oxford), Dawkins est avant tout un vulgarisateur. C'est à ce titre qu'il s'est fait d'abord connaître, avec la publication de son livre *Le gène égoïste*[27], grâce auquel il a obtenu son «emploi» actuel de titulaire de la Chaire Charles Simonyi pour faciliter la compréhension des sciences au grand public.

Le génie de Dawkins a consisté à prendre conscience, dans la lignée de l'article de Hamilton et des travaux d'autres chercheurs de la même école de pensée, qu'une sorte de révolution était en train de se préparer. Or, lorsqu'il serait temps d'en expliquer les résultats au public, les chercheurs auraient besoin d'un scribe à la plume bien affûtée pour leur servir d'interprète. C'est exactement ce qui se produisit et ce premier livre fut un succès qui devait être suivi de plusieurs autres.

Mais le défi posé à ce genre d'auteurs est celui de se renouveler pour demeurer dans la grâce des lecteurs. Pour ce faire, Dawkins a eu recourt

---

27. Richard Dawkins, *The Selfish Gene*, 1976.

aux techniques habituelles (rééditions avec des
ajouts ponctuels, réponses détaillées à des questions
suscitées par des livres antérieurs, etc.). Il a également mis à l'essai ses propres suggestions (la
notion de phénotype étendu, dont il est très fier,
même si elle n'a pas vraiment réussi à l'imposer).
Convaincu du potentiel à venir de la seconde
« nouvelle synthèse » initiée par Hamilton
et Wilson, il savait néanmoins que ces outils
n'étaient pas totalement prêts. Voilà pourquoi
il a tenté d'y contribuer avec l'invention de la
« mémétique[28] ». Puis, passant de la mémétique
pure, ou spéculative, à la mémétique appliquée,
il s'est consacré à l'éradication des religions
organisées. Il les accuse d'être la source de tous
les préjugés et des idées fausses qui infectent
l'esprit humain et s'opposent à ses progrès.

À l'orée du XXIe siècle, cet homme est considéré,
à tort, comme le plus grand évolutionniste de
notre époque, grâce aux médias qui en raffolent.
Il est le pamphlétaire antireligieux le plus connu
et le plus admiré de notre temps, le *primus inter
pares* des étoiles du « nouvel athéisme » anglo-
saxon. Le message qu'il ne cesse de marteler est
en cela très simple : la pensée scientifique et la
religion ne peuvent coexister dans la durée. L'une

---

28. Science, ou pseudoscience, de la circulation des idées
entre les cerveaux humains.

doit inévitablement s'incliner devant l'autre et il invite ses contemporains à mettre tout en œuvre pour assurer le triomphe de la première et entraîner la suppression totale de la seconde. Depuis 1976, Richard Dawkins a manifestement subi une métamorphose : du brillant vulgarisateur d'idées scientifiques, il est devenu une espèce de « chef de secte », zélote et fanatique.

La question qui se pose est alors la suivante : Une telle évolution intellectuelle était-elle ou non déjà inscrite en filigrane de la théorie du « gène » ? Pour répondre à cette question, on doit faire appel aux ressources de la philosophie.

5

Darwin et la philosophie

Jusqu'à récemment, la philosophie s'était relativement peu intéressée à la théorie darwinienne de l'évolution. Cette affirmation ne manquera pas de surprendre, car les philosophes n'ont-ils pas l'habitude de se prononcer sur tout? De plus, comment nier le caractère «philosophique» des nombreuses réactions que la théorie n'a cessé de susciter depuis la publication de *L'origine des espèces*?

Il ne fait aucun doute que, si on se mettait en quête d'articles et de livres sur l'évolution, on se retrouverait bientôt avec une bibliographie de milliers de titres. On pourrait même les classer dans le rayon, assez accommodant, de la philosophie. Cela dit, quand on commence à dépouiller cette énorme documentation, on se rend compte que ces débats relèvent bien plus souvent de l'histoire des idées, ou des idéologies. Cela s'explique par le fait que les courants philosophiques qui se sont intéressés au principe de «l'évolution» après Darwin ont eu tendance à le percevoir en termes généraux et abstraits. Il s'agissait pour eux de mesurer l'impact du mode de pensée évolutionniste sur la philosophie occidentale, dont le champ d'application dépassait de beaucoup le domaine de la biologie. Leurs auteurs ont souvent négligé la théorie darwinienne, par manque d'intérêt ou parce qu'ils n'avaient peut-être pas grand-chose à en dire, faute d'une formation spécialisée. C'était notamment le cas de la philosophie de «l'élan vital» et de «l'évolution créatrice» d'Henri Bergson (1859-1941) et de la pensée inclassable (philosophique ou théologique?), de Pierre Teilhard de Chardin (1881-1955). Ce dernier était toutefois bien au fait des détails techniques de l'affaire, car il était lui-même paléontologue.

Une autre raison, plus profonde, est que la théorie darwinienne a toujours fait l'objet de polarisations idéologiques extrêmes. C'est manifestement le cas, en théologie naturelle, du coup, peut-être fatal, que Darwin aurait asséné à la croyance en une création par dispensation divine particulière des espèces animales, dont l'espèce humaine. Ce débat, amorcé dès le premier jour et qui se poursuit aujourd'hui, sera amplement évoqué dans le prochain chapitre.

Mais la polarisation idéologique a eu aussi des répercussions dans le champ politique. À cet égard, il est à la fois instructif et piquant de noter cette anecdote. Alors qu'Herbert Spencer s'inspirait de Darwin pour élucider les fondements supposément naturels et moraux du capitalisme, Karl Marx faisait parvenir un exemplaire dédicacé du *Capital* à l'auteur de *L'origine des espèces*, en qui il croyait avoir reconnu l'âme sœur... Ces accointances devaient longtemps se perpétuer, pendant les longues décennies de l'éclipse de Darwin, avec des aléas parfois surprenants. On peut songer, par exemple, à la mise au ban du darwinisme et de la génétique mendélienne considérés comme bourgeois dans la Russie stalinienne, qui avaient été supplantés par une forme de néo-lamarckisme «progressiste»: le mitchourinisme. Ce fut l'affaire Lyssenko, source de dilemmes cornéliens pour d'éminents évolutionnistes occidentaux d'obédience communiste, dont le Français Jacques Monod et le Britannique J.B.S. Haldane.

Après la Deuxième Guerre mondiale, le triomphe de la nouvelle synthèse et le développement de la philosophie des sciences provoqueront un regain d'intérêt pour la vie et l'œuvre de Darwin. Suivant le principe que, pour le philosophe comme pour le praticien d'une science, le meilleur moyen de comprendre celle-ci consiste à en faire l'histoire, les travaux sur ce dernier se multiplient. Par ailleurs, des ouvrages destinés à expliquer le darwinisme au grand public cultivé commencent à paraître, dont certains portent la signature de sommités dans le domaine.

Julian Huxley en a ouvert la voie, avec sa grande synthèse de 1942. Il sera suivi de Theodosius Dobzhansky avec ses ouvrages *Les fondements biologiques de la liberté humaine*[29] et *L'humanité en évolution: l'évolution de l'espèce humaine*[30] dans lesquels il s'attache à montrer que l'évolutionnisme, la foi chrétienne et l'humanisme traditionnel sont parfaitement compatibles. Quant au généticien Jacques Monod, il prendra le contre-pied de ces théories avec son livre *Le hasard et la nécessité* (1970).

À compter du début des années 1970, on assiste à une véritable explosion de la littérature sur le sujet. C'est ce mouvement qui fera notamment de Stephen Jay Gould et de Richard Dawkins, des hommes riches et célèbres. Cela est d'autant plus vrai qu'il n'existe aucun domaine scientifique que l'on ait rendu aussi accessible au profane que l'évolutionnisme darwiniste. En même temps, on ne peut se défendre, que cette lecture demeure une littérature de propagande, même si elle est bien écrite, intelligente et bien informée. Il s'agit avant tout de militer en faveur de la théorie de Darwin, malgré des conceptions

---

29. Theodosius DOBZHANSKY, *The Biological Basis of Human Freedom*, 1954.

30. *Op. cit.*, *Mankind Evolving: The Evolution of the Human Species*, 1962.

assez personnelles de leurs auteurs. Le but est de la défendre et de l'illustrer, car on la sent menacée par ses ennemis créationnistes américains. Or, si les efforts pédagogiques et polémiques demeurent louables, il faut reconnaître qu'on se situe dans des perspectives bien différentes de celles, essentiellement critiques et analytiques, de la philosophie telle qu'elle se pratique, à la même époque, dans les pays anglo-saxons.

***

La philosophie entendue dans ce sens-là a commencé à se mêler sérieusement de darwinisme, vers 1977, le jour où la philosophe anglaise Mary Midgley (née Mary Scrutton, 1919), a pris connaissance du contenu du *Gène égoïste* et décida qu'il était de son devoir de répondre à ce qu'elle appelait les « élucubrations du Dr Dawkins». En réalité, cette dame résolut de s'attaquer à tout le mouvement de l'évolution centrée sur le gène et la sociobiologie. Elle n'avait jamais beaucoup publié auparavant et approchait de la fin de la cinquantaine, âge où la plupart des universitaires ne songent qu'à partir cultiver leur jardin. Elle devait être suivie en cela, une décennie plus tard, par un collègue australien, David Stove (1927-1994). Celui-ci était convaincu que de la théorie néo-darwinienne, telle que comprise par Hamilton, Wilson, Dawkins et les autres, représentait un très grave danger pour la paix du monde et l'avenir de l'humanité. Il avait alors décidé d'employer ses années de retraite anticipée à en faire un examen critique approfondi. Comme Midgley et Stove occupent une position centrale vis-à-vis des débats actuels sur le darwinisme, on commencera par les situer l'un par rapport à l'autre, puis par rapport au sujet.

Devant Dawkins, Midgley et Stove n'ont pas de foi à défendre. Élevés dans la religion chrétienne, ils en ont abandonné la pratique depuis longtemps. Même s'ils ont pu, à un moment ou à un autre, se qualifier eux-mêmes d'athées, il serait sans doute plus exact de les qualifier d'humanistes. Dans le cas de Midgley, il s'agirait d'un humanisme classique inspiré de Platon et d'Aristote, tandis que dans celui de Stove, ce serait un humanisme sceptique situé dans la lignée de David Hume. Ajoutons que ni l'un ni l'autre ne remette en cause le principe de l'évolution, ou la validité des explications darwiniennes, tout du moins pas en ce qui a trait aux animaux.

Midgley et Stove partagent la même horreur du fanatisme idéologique sous toutes ses formes dont ils ont fait l'expérience. En effet, ils ont eu tous deux à en souffrir dans les dernières années de leurs carrières de professeurs: tandis que Midgley assistait aux effets dévastateurs des programmes politiques de la « Dame de fer[31] » sur la petite institution de Newcastle où elle enseignait, Stove menait une lutte désespérée pour préserver la liberté de pensée et d'expression dans le département de philosophie de l'Université de Sydney. Ces expériences, d'ailleurs, les éloignent plutôt qu'elles ne les rapprochent de Richard Dawkins : alors que celui-ci se voit comme le plus éclairé des hommes, ils le perçoivent au contraire comme doctrinaire thatchérite. En un mot : l'homme à abattre.

Avant qu'elle ne commence à écrire sur le darwinisme, personne n'avait entendu parler de Midgley, en dehors de Newcastle. Par contre, Stove était l'un des philosophes australiens les plus connus, un spécialiste de la philosophie des sciences et de l'induction. Néanmoins, Midgley a été la première à prendre la plume pour mener le combat contre Dawkins et elle a beaucoup influencé Stove, comme ce dernier ne manque jamais de le signaler. Par ailleurs, même après s'être attaqué une première fois à la théorie du « gène égoïste » et tout ce qui en découle, elle n'a jamais lâché prise et a lutté activement contre le néo-darwinisme à la Dawkins. Pour Midgley, cela n'a représenté qu'un point de départ dans

---

31. Surnom donné à Margaret Thatcher, premier ministre britannique de 1979-1990.

l'élaboration d'une œuvre philosophique touchant à toute une gamme de problématiques connexes relevant de l'éthique, de l'anthropologie philosophique et d'autres thèmes. Stove, au contraire, a consacré une bonne partie des dernières années de sa vie, à un examen détaillé de certains aspects particuliers du darwinisme, rédigeant une série d'articles, dont le nombre sera finalement l'équivalent d'un livre. Publié à titre posthume, l'ouvrage s'intitulera *Contes de fées darwiniens*[32].

Midgley et Stove appartiennent à la même tradition philosophique anglo-saxonne, axée sur l'analyse du langage. Ils ont des conceptions analogues du rôle de leur disciple. Pour Midgley, le philosophe est semblable à un plombier que l'on appelle pour examiner la tuyauterie lorsque les mauvaises odeurs et la moisissure ont commencé à se répandre dans la maison. Stove se considère davantage comme un iconoclaste, armé d'une massue dont la mission est d'abattre les idoles de son époque. Le style de Midgley est quelque peu rocailleux et technique, ce qui limite l'accessibilité de ses ouvrages. Quant à celui de Stove, c'est un style d'essayiste, coulant, spirituel et malicieux. Tandis qu'ils s'entendent pour ne pas épargner Dawkins, Midgley et Stove

---

32. David Stove, *Darwinian Fairytales*, 1995 (2006).

adoptent des positions bien différentes à l'égard de Darwin lui-même, le grand ancêtre. Midgley tient à faire une distinction très nette entre le maître et ses épigones. Cela explique sans doute en partie pourquoi elle se rattache au mouvement Gaia, ou «hypothèse», de James Lovelock, directement inspiré du teilhardisme. Stove n'a pas de tels scrupules. Tout en reconnaissant la grandeur de Darwin, le saluant même comme un de ses héros intellectuels, il n'hésite pas à porter la main sur lui, allant jusqu'à suggérer que sa théorie de l'évolution toute entière pourrait être fausse, ou à tout le moins, entachée de fausseté.

Encore faut-il comprendre ce verdict, dans le contexte où il est prononcé. Dans ses écrits polémiques antidarwinienne, la stratégie de Stove consiste toujours à montrer que les affirmations de Darwin (Dawkins et les autres) sur les espèces vivantes n'ont pas un caractère universel. Ces théories ne s'appliquent pas à toutes les espèces, et à l'Homme, en particulier, qui constitue, presque toujours, une exception. Cette idée d'un ancêtre commun universel, Darwin l'emprunte, sans l'avouer, à son grand-père. Le procédé est typique de leur relation, par ailleurs totalement unilatérale et posthume, Erasmus étant mort sept ans avant la naissance de Charles. Devant son aïeul, Darwin le jeune se trouve en effet dans un dilemme: d'une part, il se doit de lui rendre un hommage filial, de l'autre, il ne veut pas lui céder la moindre parcelle du mérite de la découverte de la sélection naturelle. La solution: suggérer, assez perfidement, que le principal mérite d'Erasmus a consisté, avant Lamarck, à pressentir ce qu'il devait y avoir d'un peu intéressant dans les écrits de ce dernier. Pauvre Lamarck! Ce qu'il aura pu souffrir aux mains de ses collègues…

6

De quelques idées reçues

Avant de conclure, il me faut dissiper quelques idées reçues au sujet de la théorie de l'évolution et de la pensée darwinienne.

Une première veut que la théorie de l'évolution soit incomplète, ou carrément fausse, parce qu'elle ne peut rendre compte de l'apparition de la vie sur Terre. En réalité, cela n'est pas, et n'a jamais été, son propos. Comme le titre et le contenu même de l'ouvrage l'indiquent clairement, Darwin se proposait uniquement d'expliquer l'origine des espèces et non celle de la vie elle-même. Tout ce qu'il affirme sur le rôle de la sélection naturelle présuppose son existence. (Cela dit, lorsque l'on est confronté à des gens qui expriment leur conviction que les scientifiques seront un jour en mesure d'élucider tous les mystères, y compris celui-là, il est de bonne guerre de leur demander des précisions.)

Une autre idée fausse, mais largement répandue, au sujet de la théorie de l'évolution, est qu'elle ne saurait être considérée comme véritablement scientifique dans la mesure où il est impossible d'en tester les conclusions en laboratoire. Ses défenseurs le reconnaissent en expliquant qu'il ne saurait y avoir d'expériences darwiniennes à cause des longs processus évolutifs décrits dans la théorie. En effet, elles exigent de longues périodes pour se déployer et produire leurs résultats. Et ils ajoutent aussi que l'abondance de preuves suffit pour corroborer la théorie.

Le temps me manque pour trop m'attarder sur ce point. Je devrai donc me limiter à deux faits particulièrement éloquents. Pour commencer, rien ne nous permet de mieux comprendre le phénomène de la résistance bactérienne aux antibiotiques que le modèle darwinien de sélection naturelle. En fait, le phénomène en question est même en passe de constituer l'illustration par excellence de l'application des principes darwiniens, non seulement pour notre compréhension de l'histoire passée de la vie, mais aussi de la façon dont elle se poursuit sous nos yeux.

Au début, les antibiotiques synthétiques faisaient des ravages dans les populations de bactéries visées, car la plupart de celles-ci étaient complètement démunies. Il semble toutefois qu'une portion de ces bactéries comptaient certaines caractéristiques dans leur patrimoine génétique qui leur ont permis de résister. Ce qui s'est passé ensuite est conforme au scénario darwinien d'adaptation le plus classique. Tandis que les bactéries démunies étaient décimées et disparaissaient sans laisser de descendance, d'autres spécimens immunisés survivaient et se reproduisaient.

Les cas, qui ont l'air de se multiplier, sont notamment la présence de bactéries mangeuses de chair et d'autres menaces du même ordre signalées dans nos hôpitaux. Elles constituent autant d'indications de l'émergence, par processus de sélection naturelle, de types de bactéries de plus en plus résistantes aux antibiotiques de notre pharmacopée. La seule solution dont nous disposons à l'heure actuelle consiste à synthétiser des antibiotiques de plus en plus puissants, dans l'espoir d'endiguer ce phénomène. Toutefois, le seul résultat obtenu jusqu'à présent a été de contribuer à l'élevage de populations bactériennes de plus en plus coriaces.

Mon autre exemple illustratif, en tous points différent, est celui de l'observation minutieuse des mille et un aléas du destin d'une population de pinsons d'une des plus petites des îles Galapagos, à laquelle une petite équipe de chercheurs de Princeton se livre depuis plusieurs années. Il s'agit de l'équipe de Rosemary et Peter Grant, dont les travaux ont fait l'objet d'un très beau livre de vulgarisation, par Jonathan

Weiner: *Le bec du pinson: une histoire d'évolution de notre temps*[33].

Les pinsons des îles Galapagos ont une généalogie darwinienne à nulle autre pareille. Darwin a lui-même pu les observer lors de son passage dans l'archipel, à bord du Beagle, en 1835. Ces mêmes oiseaux ont joué un rôle crucial dans la théorie de l'évolution à laquelle il a commencé à travailler peu après son retour en Angleterre. Ce dont Darwin ne s'était pas d'abord aperçu, c'est que ces populations étaient constituées non pas d'une, mais de treize ou quatorze espèces différentes. Elles se distinguaient par divers traits anatomiques, notamment la forme du bec, bien adapté, dans chaque cas, à l'un ou l'autre des divers types de nourriture qui s'offrent aux volatiles des îles. Les pinsons apparaissaient ainsi comme un cas extrême d'adaptation aux conditions de l'espace écologique unique de cet archipel, phénomène qui avait impressionné le naturaliste.

L'ironie est que Darwin n'avait tout d'abord pas été sensible à cette signification. Il avait même mené une étude très insatisfaisante de ces oiseaux. Depuis, des générations d'ornithologues ont fait ce pèlerinage jusqu'aux îles. On pourrait

---

33. Jonathan WEINER, *The Beak of the Finch: A Story of Evolution in Our Time*, 1994. Cet ouvrage a reçu le prix Pulitzer en 1995.

même penser qu'il s'agit là des espèces d'oiseaux au monde les plus connues des scientifiques. Les expéditions des Grant ont complètement transformé cette perception. Faisant abstraction de l'isolement des îles qui composent l'archipel, dont certaines sont minuscules, et même quasiment inaccessibles, ils ont choisi la Daphne Major pour en faire un laboratoire d'observation des processus évolutifs au ras du sol. Depuis 1973, tous les examens et annotations faits par divers chercheurs (les Grant, leurs collègues et des étudiants) viennent, pour l'essentiel, confirmer de façon éclatante le modèle darwinien qui se dégage des trois premières propositions. Leurs travaux nous font partager la vie, au jour le jour, de ces pinsons, parfaitement adaptés à leur environnement, mais que leur milieu naturel met constamment à rude épreuve.

Les plus belles années sont sans doute les années les plus ordinaires, lorsqu'il y a à peu près assez de nourriture (baies, insectes, etc.) pour toutes les espèces spécialisées et que la population totale demeure comparativement stable. Par contre, les années de précipitations abondantes, comme *El Niño*, sont des cadeaux empoisonnés de la nature, selon une logique diabolique que Darwin a très bien décrite. Bénéficiant de ressources alimentaires apparemment illimitées, les populations animales de Daphne

Major se multiplient au-delà de la capacité à les nourrir. Ainsi, lorsque l'on revient à la normale, c'est l'hécatombe. Quant aux années de séche-resse, surtout celles à répétition, elles ont un effet dévastateur, là encore prévu par Darwin. L'écologie de l'île est alors soumise à de telles pressions qu'on en vient à se demander si les espèces animales comme les pinsons, et même ses ressources végétales, ne sont pas vouées à l'extinction, car on n'aperçoit même plus une graine sur son sol rocheux et volcanique. Alors se produit un phénomène étrange que, pour une fois, Darwin n'avait pas pressenti: des pinsons d'espèces différentes s'accouplent pour donner naissance à des progénitures hybrides. Puis, après un temps, par un juste retour du balancier, on en revient aux conditions normales. Les populations hybrides disparaissent tandis que les différentes nourritures du sol reviennent en quantités suf-fisantes. Les caractères distincts des différentes espèces de pinsons s'affirment à nouveau, chacune prévalant à l'intérieur de sa niche écologique.

***

Une autre idée répandue, et également fausse au sujet de la théorie darwinienne consiste à croire qu'il s'agit principalement ou spécialement d'une théorie de l'évolution de l'Homme. En réalité, il s'agit d'une théorie générale, ou uni-verselle, de l'évolution de toutes les espèces vivantes habitant notre planète. Cela dit, la méprise s'explique facilement. Depuis le début, la théorie et Darwin lui-même ont mené une double vie, à la *Docteur Jekyll et Mister Hyde*. Il y a eu, d'une part, le Darwin scientifique qui, avec détachement, s'interrogeait sur les causes des différences observées entre les diverses espèces de pinsons répertoriées aux îles Galapagos. Et de l'autre, le Darwin visionnaire et fébrile qui était incapable ne pas tirer les conséquences culturelles et philosophiques sur l'image que notre espèce se fait d'elle-même. Alors que jusqu'à présent, nous nous étions pris pour les maîtres de la nature, notre propre science venait nous remettre à notre place, à savoir celle de simples primates avantagés simplement sur le plan cérébral.

Mais malgré ce dédoublement, il s'agit bien du même homme. Il suffit pour cela de se souvenir que Darwin a hésité pendant longtemps avant de publier *L'origine des espèces*. Il craignait à la fois des conséquences pour la compréhension de sa théorie et du raz de marée de réactions négatives qui ne manquerait pas de déferler sur son auteur. On se rappellera aussi qu'il s'est soigneusement abstenu d'y parler de l'espèce humaine, lorsque son livre paraîtra enfin. Toutefois, ce n'est pas que cette dimension de sa théorie le gênait de quelque façon que ce soit.

Bien au contraire, il n'aurait pour rien au monde voulu en exclure l'espèce humaine! On le verra d'ailleurs des années plus tard, lorsqu'il s'enhardira à publier *La descendance de l'Homme*[34], une suite de *L'origine des espèces* où il n'est justement question que de l'Homme en rapport avec les autres animaux.

Duplicité ou dédoublement de personnalité? Peu importe. L'accent mis sur l'aspect anthropologique de la théorie par les grands apôtres de la première génération de l'évangile darwinien (les Huxley, les Spencer, les Haeckel) fera à la fois le succès et le scandale de cette dernière. Mais le prix à payer sur le plan scientifique sera énorme. C'est ainsi que, comme Darwin lui-même l'avait appréhendé, pendant des décennies, les hommes de science seront à peu près les seuls à s'intéresser à la théorie pour elle-même et dans son ensemble. Pour le commun des mortels, Darwin sera, et demeure, ce type quelque peu «toqué» selon qui «l'Homme descend du singe». C'est une proposition à laquelle une majorité de gens continuent de refuser de souscrire, même dans les pays où le niveau moyen d'éducation est le plus élevé.

Si la théorie de l'évolution n'a pas eu plus d'impact en dehors des milieux scientifiques,

---

34. Charles DARWIN, *The Descent of Man*, 1871.

et ce, même dans les sociétés les plus avancées, la responsabilité incombe aux évolutionnistes et à Darwin avant tout. En partant du principe de « la descendance commune », son erreur a été d'exclure la possibilité, pourtant assez forte, que l'espèce humaine ait pu évoluer en quelque chose de qualitativement différent de toutes les autres espèces animales. En proclamant que « la solution de l'énigme humaine » (Marx) résidait véritablement dans une animalité jamais surmontée et sans doute insurmontable, il s'est engagé, ainsi que bon nombre de ses émules, dans une voie réductionniste qui ne pouvait et ne pourra jamais mener nulle part.

Sur le plan politique, les conséquences de ces choix se sont avérées désastreuses. Si au XIXe siècle et encore au début du XXe, divers adversaires « créationnistes » du darwinisme, étaient prêts à concéder que la diversité des espèces animales autres que l'Homme puisse s'expliquer par le biais d'une forme ou d'une autre d'évolution, leurs successeurs se sont radicalisés. De nos jours, aux États-Unis, ce sont les adeptes de « la Terre jeune », ou création en sept jours, qui occupent le devant de la scène. Leur influence s'est renforcée au point qu'elle se fait maintenant sentir à tous les niveaux de la vie politique, des élections scolaires aux élections présidentielles.

L'ironie est qu'en réalité, la théorie darwinienne de l'évolution n'a jamais contribué
concrètement à notre compréhension des
origines de l'Homme. Darwin lui-même s'est
toujours sagement abstenu de trop s'investir
dans la paléontologie humaine, alors même
que les premières découvertes de vestiges
hominiens avaient déjà eu lieu au moment de
la rédaction de *L'origine des espèces*. Un siècle
et demi plus tard, nous avons accumulé une
quantité effarante de données, mais l'essentiel
continue à nous échapper.

C'est ainsi que l'on sait que les premiers hominidés, ou hominiens, sont d'abord apparus quelque
part dans les savanes de l'Afrique de l'Ouest. Par la
suite, des espèces d'hominidés ont quitté l'Afrique
pour essaimer un peu partout l'Ancien Monde.
Et puis l'Homme est apparu, ou en tout cas un
Homo sapiens en tous points identique à nous,
sur le plan anatomique tout du moins.

Or, cet Homme moderne, dit de *Cro-Magnon*,
n'est pas encore clairement rattaché à l'une ou
l'autre des nombreuses branches de l'arbre
généalogique des hominidés, à vrai dire quelque
peu touffu, que les paléontologues s'efforcent de
reconstituer, par divers moyens. Le fait même
de l'évolution ne laisse pas prise au doute : la
liste, assez longue, des parties vestigiales du
corps humain suffit amplement à l'établir. Mais

la question est de savoir quels processus évolutifs ont pu jouer un rôle dans l'émergence de l'humanité et de quelle façon ils ont opéré. Ces points-là demeurent, très largement, une affaire de conjectures et d'imagination.

La question de l'évolution future et présente de notre espèce pose des problèmes très différents. C'est ainsi que certains ont pu suggérer que le spectre de l'autisme représentait une sorte de mutation évolutive. L'hypothèse est séduisante, mais comment la tester ? S'il s'agit d'une mutation au sens proprement technique, la génétique permettra peut-être un jour de l'isoler. D'un autre côté, les scientifiques s'entendent généralement pour reconnaître que le mécanisme de la sélection naturelle n'opère pas de façon manifeste dans les populations humaines telles que nous les connaissons à l'heure actuelle.

La théorie de l'évolution serait plus facilement acceptable si elle ne se présentait pas si souvent comme une solution avérée, alors qu'elle n'est en fait, comme toutes les entreprises scientifiques, qu'une ébauche d'un travail en cours.

7

Religion et théorie de l'évolution

En principe, il ne devrait pas être trop difficile de réconcilier science et religion — à tout le moins la religion chrétienne — sur le terrain de l'évolution.

Le dogme religieux, fondé sur la révélation des Écritures et élaboré par la théologie, nous enseigne comme une vérité de la foi que Dieu a créé le monde et toutes les espèces vivantes qui l'habitent, y compris l'espèce humaine. La science de l'évolution, pour sa part, s'efforce de nous faire comprendre *comment* il s'y est pris.

À première vue, il semblerait que nous ayons affaire ici à deux domaines d'activité intellectuelle tellement différents qu'ils n'auraient que peu ou prou à voir l'un avec l'autre. En effet, comment concevoir qu'une proposition issue du développement des sciences naturelles puisse réellement venir contredire, voire annihiler, une vérité issue d'une discipline aussi différente de celles-ci que la théologie ? Des générations de chrétiens ont cru que Dieu avait créé le monde, sans être pour autant en mesure de rendre compte de son *modus operandi*. Si quelqu'un, un jour, s'avisait, comme on prétend que Darwin l'a fait, de jeter certaines lueurs proprement scientifiques sur les processus de la création des espèces vivantes, ne devrait-on pas saluer sa contribution non comme une réfutation, mais plutôt comme un supplément, voire une confirmation, de la croyance religieuse en l'origine divine de la nature? Dieu étant raison, toute découverte de la présence de la rationalité dans la nature devrait donner lieu à une célébration de sa grandeur et de sa gloire.

Les choses, bien sûr, ne sont pas simples, au point où l'on pourrait même dire que tout reste à négocier dans cette province particulière des affaires concernant la foi et la raison. Quand on parle d'évolution, les rapports entre les milieux scientifiques et les autorités religieuses demeurent froids et distants, et, selon les personnes, sont même souvent marqués d'une hostilité plus ou moins larvée. Il y a même des régions du monde où, depuis maintenant des décennies, gens de foi et gens de science se livrent une guerre ouverte, très âpre et très éminemment politique, sur la question de la légitimité et du droit de cité de leurs discours respectifs, sinon sur la place publique, du moins dans les écoles.

C'est tout particulièrement le cas du berceau culturel de la théorie de l'évolution, soit le monde du protestantisme anglo-saxon, lequel a toujours et demeure l'épicentre, à l'échelle du globe, des «guerres culturelles» qui n'ont jamais cessé de faire rage autour de la théorie de l'évolution, depuis la publication de *L'origine des espèces*, en 1859.

Ce fait, cela va sans dire, ne relève pas du hasard. Pour comprendre de quoi il retourne, une mise en perspective de l'histoire religieuse s'impose. Sous les Stuart, au XVIIᵉ siècle, et les premiers Hanovre, au XVIIIᵉ, le gouvernement britannique s'efforce d'imposer une seule religion, l'anglicanisme, à la totalité de ses sujets. Cette politique ne remporte qu'un succès très relatif. Les dissidents (*dissenters*) de tout poil sont nombreux. Tandis que beaucoup se conforment du bout des lèvres aux pratiques et enseignements de l'Église officielle, quitte à se réfugier dans les marges de cette dernière, d'autres échappent de plus en plus à son contrôle. Ces derniers partiront bientôt pour l'Amérique.

Darwin lui-même est issu d'une famille de la *gentry* qui, par ses croyances, très minimales, se rattache à l'aile la plus radicale de l'anglicanisme libéral : l'unitarianisme. Comme son nom l'indique, les unitariens ne croient pas à la Trinité. Ce n'est pas là le seul dogme dont ils se soient débarrassés, par voie de critique rationaliste. Ils ne croient pas non plus aux miracles du Christ, ni même à sa résurrection, pour ne rien dire de sa divinité. Leur Dieu, à eux, c'est le Dieu des philosophes et des savants, un Dieu qui a créé le monde et en qui il leur faut bien croire, car, autrement, ils ne sauraient rendre compte à la fois de l'existence et de la perfection de la Nature.

Mais quelle sorte de chrétien était Darwin avant d'élaborer sa théorie ? Sa religion — et celle de son père, et de son grand-père avant lui — était une construction purement intellec-tuelle, dépouillée de toute dimension de foi, à commencer par la foi en la Trinité. Avant même de s'engager sur le Beagle, Darwin ne croyait pas aux miracles du Christ, pas plus qu'à sa résurrection ou à sa divinité. Pour les unitariens parmi lesquels il avait grandi, le rôle de Dieu dans l'économie universelle se limitait essentiel-lement à deux rôles: d'une part, il était le Créateur, dont l'action, pour nous incompréhensible, permettait de mettre en évidence la splendeur et de la complexité de la Nature et, d'autre part, il était le garant de la moralité: c'est lui qui, dans l'autre monde, veillerait à récompenser les gens vertueux et à punir les méchants.

Ce type de religion reposait donc sur deux piliers bien fragiles dont l'un dépendait de la croyance en une vie après la mort, dont rien n'est certain, et la croyance en un Créateur dont on ne postule l'existence que pour justifier une nature que la raison humaine elle-même paraît totalement incapable d'expliquer. Or voici que, avec sa théorie de l'évolution des espèces, Darwin parvient à le faire, ou en tout cas à se convaincre, et nous avec lui, que par le seul usage naturel de sa raison, il est désormais en mesure d'expliquer ce qui, jusqu'alors, paraissait inexplicable. Une fois la chose reconnue, on n'a plus besoin de Dieu. Il est devenu une hypothèse inutile.

Et c'est précisément ce qu'il est arrivé à l'unitarisme anglican, de même d'ailleurs qu'à la quasi-totalité du protestantisme libéral. Après avoir connu son âge d'or aux XVIIIe et XIXe siècles, il s'est effiloché, tant et si bien qu'il manque à peu près à l'appel, parvenu au début du XXIe siècle. L'immense majorité de ses adeptes se sont entre-temps réfugiés dans l'athéisme, le scientisme — soit l'idéologie suivant laquelle l'humanité ne peut attendre que de la science la réponse à ses questions — et cette chose curieuse, mi-chair, mi-poisson, que l'on appelle l'agnosticisme (ou «incroyance»), un terme inventé par sir Francis Galton (1822-1911), le père de l'eugénisme, pour caractériser ses propres positions religieuses, quelque peu ambiguës, ainsi que celles de son cousin, nul autre que… Charles Darwin! Si l'athéisme militant qui se réclame de Darwin trouve son origine dans la dissidence anglicane, il en va de même de son adversaire juré, le fondamentalisme biblique, les deux idéologies se trouvant en quelque sorte dans un rapport de frères ennemis.

À l'époque de Darwin, sa théorie avait d'abord suscité des résistances au sein de l'Église établie, dont le clergé était alors très instruit dans les disciplines scientifiques. Puis, peu à peu, alors que les classes instruites se ralliaient aux idées nouvelles, c'est chez les croyants plus simples, dont toute la foi reposait sur une lecture plus ou moins littérale de la Bible, qu'une opposition à l'évolutionnisme a commencé à se faire jour. De façon plus générale, un fondamentalisme s'est développé progressivement, surtout parmi les masses populaires, sous l'impulsion d'une réaction contre un ensemble de menaces que le monde moderne faisait peser sur leurs valeurs les plus chères: la menace du communisme, la menace de la pornographie, la menace de l'évolutionnisme…

Le cadre de la société britannique étant désormais perçu comme vieillot et trop étroit, le débat, ou plutôt la guerre s'est naturellement transportée, en même temps que de nombreux dissidents britanniques, vers les États-Unis, où il a été florissant au point d'assumer une forme politique.

L'événement ici à retenir est la célèbre affaire du procès Scopes, ou *Monkey Trial* (le *Procès du singe*) de 1925. Cette année-là, à Dayton, au Tennessee, l'instituteur John Scopes signe une déclaration reconnaissant qu'il aurait enfreint la loi en enseignant la théorie de l'évolution à ses élèves. On lui intente un procès, tandis que, de part et d'autre, on retient les services de personnalités du monde juridique: l'avocat Clarence Darrow à la défense, un libre-penseur notoire, et l'éminent homme politique démocrate William Jennings Bryan à l'accusation. La presse s'est déplacée en nombre et, pendant quelques semaines, le pays se passionne pour une question qui, au fond, est celle de la place de la Bible dans la culture, la société et la vie politique américaine. La conclusion du procès sera, à plusieurs égards, paradoxale. Scopes sera reconnu coupable et condamné à une amende. Par ailleurs, à peu près tout le monde s'entend pour reconnaître que, lors d'un contre-interrogatoire remarqué auquel Bryan avait commis l'erreur de se prêter, Darrow a eu le dessus sur ce dernier, en soutenant avec éloquence que la littéralité biblique est une position intellectuelle infantile. Le fait que Bryan meurt cinq jours plus tard ne peut qu'ajouter au drame.

En apparence, les forces populaires opposées à la théorie de l'évolution ont essuyé une cuisante défaite. En réalité, elles ont remporté une grande victoire, quoiqu'on prendra un certain à s'en apercevoir. Les premiers à le découvrir seront les maisons d'édition spécialisées dans les manuels scolaires. En effet, les autorités des écoles et des commissions scolaires du Sud leur feront comprendre, assez vite, que si elles veulent écouler leur marchandise, il valait mieux qu'elles s'abstiennent d'y inclure des chapitres sur la théorie de l'évolution. Cette dernière disparaît donc peu à peu des manuels communément utilisés non seulement dans les États du Sud, mais aussi un peu partout aux États-Unis.

Darwin ne reviendra dans les écoles qu'à compter de 1957. À cette date, le lancement du satellite soviétique Spoutnik fait prendre conscience à l'administration Kennedy du retard accusé par les Américains en matière de formation scientifique. On se hâte donc de moderniser les outils pédagogiques et les guerres darwiniennes reprennent de plus belle.

Dans les années qui suivent, le création-nisme, forme la plus achevée de l'opposition darwinienne aux États-Unis qui se caractérise par une littéralité biblique absolue, triomphe un peu partout pour des raisons d'organisation et éventuellement de financement (création d'instituts et d'un immense réseau de moyens de propagande: maisons d'édition, sociétés de production de films, voire musées et parcs d'attractions). Or, rien de tout cela ne concerne directement la science ou la religion.

L'idée que science et religion sont engagées dans une lutte inexpiable, une lutte à mort, est très répandue dans les médias américains. Que l'on songe, entre autres, aux «documentaires» de propagande de Bill Maher, athée militant qui veut nous convaincre que la religion représente le mal absolu dont la science (*Deo volente*!) finira bien par nous délivrer, ou encore le très drôle *Expelled* de Ben Stein, où ce dernier accomplit l'exploit, à vrai dire assez banal, d'amener le grand Richard Dawkins à dire des âneries (sur notamment le rôle que des êtres extra-terrestres auraient pu jouer dans l'évolution de la vie sur Terre...).

Non, cette idée d'une opposition radicale entre science et religion est très largement factice. Elle repose sur une conception qui relève davantage de la culture populaire que de la culture savante. Elle est donc à la fois très particulière et très provinciale. Les États-Unis ont beau être «le plus grand pays au monde», ce n'est pas là qu'il faut s'enquérir de perspectives globales.

On serait plus inspiré de se rendre à Rome, au Vatican. Mais, au fait, qu'y pense-t-on de Darwin et de la théorie de l'évolution?

8

La science et l'Église catholique

Même si ses ennemis ne lui ont jamais pardonné sa théorie, l'Église catholique a su tirer les leçons de l'affaire Galilée. Dès lors, on serait bien en peine de trouver un homme de science catholique qui, dans les derniers siècles, se serait vu entravé dans la poursuite de ses travaux de recherche par une intervention du magistère. Au contraire — timidement au début, mais d'une façon de plus en plus résolue au fil du temps —, des laïcs, mais aussi des clercs se sont illustrés par leurs travaux scientifiques. C'est notamment le cas de Gregor Mendel, moine augustinien et père de la science de la génétique qui a rendu possible la « nouvelle synthèse », ou encore de l'abbé Breuil (1877-1961), l'un des fondateurs de l'archéologie préhistorique scientifique.

Mais que dire du contemporain et collègue de ce dernier, le père Pierre Teilhard de Chardin (1881-1955), de la compagnie de Jésus ? Le lecteur au courant des faits au sujet de l'affaire Teilhard n'aura aucune peine à répondre que ce dernier n'a jamais été inquiété pour avoir étudié, puis enseigné la paléontologie humaine — son champ de spécialisation — dans des institutions d'enseignements supérieurs de son ordre. Non la véritable raison pour laquelle il a été inquiété, très tôt dans sa carrière, et pour laquelle il a fini par faire l'objet d'un *monitum* (avertissement), qui pèse encore sur lui, c'est qu'il a tenté de s'inspirer de la science moderne pour proposer un discours théologique renouvelé. Le résultat, admiré de beaucoup, quoique le plus souvent à distance, a paru trop audacieux, trop imprudent, aux yeux de certains. N'oublions pas que la théologie catholique repose sur d'autres fondations, soit le produit de deux mille ans d'efforts d'enculturation du message évangélique à la *philosophia perennis* des anciens réinterprétée à la lumière de la Révélation. Un éminent thomiste comme Étienne Gilson ne pouvait donc que réagir avec une hostilité horrifiée devant une entreprise de redéfinition de la pensée chrétienne proposée par un bon père jésuite qui, si bon paléontologue fût-il, n'était ni un philosophe, ni même un théologien de formation.

Et Teilhard n'a pas fini comme Galilée. Si inconfortable que fût sa situation, il a toujours joui de la protection de son ordre et de la solidarité de ses frères jésuites, même ceux, assez nombreux, qui ne savaient que trop penser des

dimensions les plus spéculatives de son œuvre.
On lui a permis de consacrer son temps à la
recherche et à l'écriture (sinon à la publication…),
de sorte que, depuis sa mort, qui n'a précédé que
de peu d'années le concile Vatican II, son œuvre
abondante n'a cessé d'influencer les esprits en
recherche, tant en dehors des murs de l'Église
que dans son enceinte, et ce, jusqu'au plus haut
niveau. L'affaire Teilhard et l'attitude de l'Église
à l'égard de la théorie de l'évolution sont deux
questions distinctes qu'on aurait grand tort de
confondre.

***

Les papes du XIXe siècle, notamment Pie IX,
qui régnait à l'époque de Darwin, ont complètement ignoré la théorie de l'évolution. Tout au
plus pourrait-on dire, comme certains n'ont
pas manqué de le faire, que le darwinisme est
englobé dans la condamnation générale du
matérialisme et d'un certain scientisme qui nie
que Dieu ait créé le monde. Mais les termes
employés, dans *Le syllabus*[35], sont si généraux
et si vagues qu'on ne sait pas vraiment qui est

---

35. Le *Syllabus des erreurs*, document papal publié en 1879,
dans lequel le pape Pie IX prononçait une condamnation
sans appel de toute une série « d'erreurs modernes » — y
compris le libéralisme, le socialisme, le naturalisme, etc.
Rarement l'opposition entre l'Église et la modernité
n'aura été aussi évidente que dans ce texte célèbre.

visé par la condamnation. Darwin ? Peut-être, mais plus probablement les manichéens de l'Antiquité tardive…

Le 30 juin 1909, sous Pie X — de loin le plus conservateur des papes du XXe siècle —, la Commission biblique pontificale publie un décret surprenant dans lequel elle reconnaît que la création spéciale pourrait ne s'appliquer qu'à l'Homme, à l'exclusion des autres animaux. Cette idée, inadmissible dans un cadre darwinien classique, constitue une première ébauche d'une position qui, par la suite, connaîtra un grand succès dans l'Église : on admet que la science puisse expliquer l'évolution de la vie animale — y compris ce qu'il peut y avoir d'animal dans la vie humaine —, mais on s'empresse d'ajouter que l'Homme est une créature trop complexe et d'une existence aux dimensions trop multiples pour que la théorie puisse entièrement en rendre compte (intellectuelle, morale, esthétique, religieuse, spirituelle).

Pie XII, premier pape à consacrer plusieurs pages d'une de ses encycliques[36] à la question, aura grand soin de s'en tenir à sa position, pour la préciser et lui conférer un développement considérable. Il adoptera d'ailleurs une attitude de prudence intéressée. On y apprend que le

---

36. Pie XII, *Humani Generis*, 1950.

Saint-Siège suit l'évolution de la théorie avec intérêt. On appelle à la prudence, rappelant aux fidèles que, tandis que la révélation nous enseigne, comme une chose certaine, que nous avons été créés par Dieu, les conclusions de la science ne sont très souvent que des conjectures. Il est très clair que, pour Pie XII, comme pour Pie X, l'intérêt de la théorie a trait essentiellement aux conséquences que l'on peut en tirer pour l'anthropologie. C'est pourquoi il affirma et réaffirma le caractère unique de l'être humain, un être si particulier que sa création devait avoir fait l'objet d'une intervention spéciale du Créateur.

Les modalités de cette création particulière demeuraient toutefois imprécises. Il y avait là certainement un geste d'ouverture envers la théorie. En fait, l'ouverture était telle qu'on paraissait même prêt à abandonner l'ensemble du reste du règne animal à cette dernière. Pie XII souleva enfin une difficulté : si la science avait quoi que ce soit à nous apprendre des origines de l'Homme, qu'adviendrait-il du dogme du péché originel ?

Il désigna là un écueil depuis longtemps repéré. En fait, c'est pour avoir écrit un texte portant précisément sur ce sujet, un texte qui n'avait circulé que sous une forme manuscrite, que le jeune Teilhard, dès 1925, s'était attiré l'attention de certains théologiens de la curie romaine. Déjà dans les années 1950, il ne fallait pas être grand clerc pour deviner ce qui se préparait: ce n'était qu'une question de temps avant que certains n'invoquent Darwin pour inviter l'Église à se débarrasser de ce dogme suranné, et que certains voulaient voir disparaître du discours de l'Église, comme d'ailleurs tout ce qui avait trait au péché.

De cela, il ne pouvait pas bien sûr être question. L'Église, forte des certitudes qui lui viennent du dépôt de la foi, n'avait pas le droit de se départir des vérités qui la composent. Tout au plus avait-elle le devoir d'adapter sa façon de prêcher l'Évangile aux nouvelles réalités humaines, y compris les intuitions et conclusions de la science moderne. Sur le terrain du péché originel, Pie XII vit venir le problème (celui du monogénisme par opposition au polygénisme). Il l'annonça, le définit et prit position, mais engagea le moins possible le débat. Dès 1950, les grands axes sont donc définis. Sur ce point, comme sur bien d'autres, les successeurs de Pie XII (Paul VI, mais surtout Jean-Paul II et Benoît XVI) maintiendront le discours du magistère dans le cadre posé par l'encyclique de 1950.

À la suite du Concile, il fut beaucoup question de polygénisme et de monogénisme dans certains milieux théologiques. Mais c'était une problématique de théologiens qui, d'ailleurs, intéressait beaucoup moins la plupart d'entre eux que leurs devanciers de la Renaissance et du début de la modernité. On s'efforça de se tenir à jour sur ce que la science pouvait avoir à dire à ce sujet. Par bonheur, comme les scientifiques eux-mêmes sont divisés sur les détails de la théorie de l'évolution, il n'y a pas vraiment là matière à opposer foi et raison.

Le 22 octobre 1996, Jean-Paul II rendit visite à l'Académie pontificale des sciences, où il prononça une allocution très remarquée. Le pape, évoquant *Humani Generis*, affirma que la théorie de l'évolution n'était plus une simple hypothèse. Elle s'est maintenant imposée comme le consensus scientifique. Ces messieurs de la presse, pour qui l'Histoire a commencé hier et pour qui, dans le meilleur des cas, *Humani Generis* n'était qu'un vague souvenir, s'émeuvent de cette déclaration. Il n'y a pas de quoi. On doit se rappeler ici qu'en 1950, la théorie de l'évolution, pour beaucoup, même dans les milieux scientifiques, n'était encore qu'une simple hypothèse philosophique, même dans les milieux scientifiques. En fait, Darwin ne faisait alors que commencer à sortir de la longue éclipse qu'il connaissait depuis des décennies. Avec la déclaration papale de 1996, l'Église ne fait que prendre note de ce qu'à peu près tout le monde reconnaît avec elle : dans la deuxième moitié du XXe siècle, la nouvelle synthèse a triomphé.

Pour le reste, l'Église s'en tient à l'essentiel. Pour le constater, il suffit de prendre connaissance des textes officiels, notamment le rapport de la Commission théologique internationale de juillet 2004, au titre éloquent *Communion et service : L'Homme créé à l'image de Dieu* ou encore certains articles du nouveau *Catéchisme de l'Église catholique* :

> 159. *Foi et science.* « Bien que la foi soit au-dessus de la raison, il ne peut jamais y avoir de vrai désaccord entre elles. Puisque le même Dieu qui révèle les mystères et communique la foi a fait descendre dans l'esprit humain la lumière de la raison, Dieu ne pourrait se nier lui-même ni le vrai contredire jamais le vrai » (Cc. Vatican I : DS 3017).

> « C'est pourquoi la recherche méthodique, dans tous les domaines du savoir, si elle est menée d'une manière vraiment scientifique et si elle suit les normes de la morale, ne sera jamais réellement opposée à la foi : les réalités profanes et celles de la foi trouvent leur origine dans le même Dieu. Bien plus, celui qui s'efforce, avec persévérance et humilité, de pénétrer les secrets des

choses, celui-là, même s'il n'en a pas
conscience, est comme conduit par la
main de Dieu, qui soutient tous les êtres
et les fait ce qu'ils sont » (*GS* 36, § 2).

284. « Le grand intérêt réservé à ces
recherches est fortement stimulé par
une question d'un autre ordre, et qui
dépasse le domaine propre des sciences
naturelles. Il ne s'agit pas seulement
de savoir quand et comment a surgi
matériellement le cosmos, ni quand
l'Homme est apparu, mais plutôt de
découvrir quel est le sens d'une telle
origine : si elle est gouvernée par le
hasard, un destin aveugle, une nécessité
anonyme, ou bien par un Être transcen-
dant, intelligent et bon, appelé Dieu.
Et si le monde provient de la sagesse et
de la bonté de Dieu, pourquoi le mal ?
D'où vient-il ? Qui en est responsable ?
Et y en a-t-il une libération ? »

On a ici affaire à une pensée d'une remarquable
unité et que reprend constamment Benoit XVI,
ce qui ne saurait étonner, car c'est lui qui,
encore cardinal, a piloté à la fois les travaux de
la commission et la rédaction du *Catéchisme*.
Derrière ce discours, à la fois traditionnel et

magnifiquement adapté aux besoins de l'époque, une stratégie se dessine.

D'une part, l'Église, se souvenant de ses erreurs commises au temps de Galilée, et convenant volontiers de son incompétence en la matière, s'interdit désormais d'intervenir dans les débats proprement scientifiques. Par ailleurs, en même temps que l'on célèbre les découvertes de la science, on en souligne les limites pour s'inscrire en faux contre le scientisme. En s'appuyant à la fois sur l'épistémologie contemporaine des sciences et sur la conception thomiste des capacités et limites de la raison humaine, on insiste sur le fait que la science ne saurait répondre qu'aux questions qui lui appartiennent. Les questions philosophiques, celles qui ont trait à la signi-fication profonde des choses, lui échappent complètement. Ils se trompent donc ces scienti-fiques — ou vulgarisateurs scientifiques — qui prétendent que l'on peut tirer des sciences, et notamment de la théorie de l'évolution, tout un système philosophique, et le seul valable à leurs yeux.

Mais au-delà de tout ce déploiement d'arguments philosophiques bien calibrés, c'est bien de la défense et de l'illustration des vérités de la foi qu'il s'agit et, avant tout, de l'idée révélée suivant laquelle l'Homme a été créé à l'image de Dieu. Cette idée est rejetée avec mépris par ceux qui n'ont pas pris la peine d'en sonder la complexité. Elle est destinée à devenir le point focal de l'anthropologie chrétienne renouvelée, dont beaucoup de personnes, dans l'Église, souhaitent ardemment l'avènement.

9

L'avenir

Le darwinisme est promis au même destin que toutes les autres grandes idées scientifiques : inscrit dans une histoire qui, tôt ou tard, finira par le dépasser, il est appelé à être éventuellement subsumé dans le cadre de théories scientifiques plus complètes et plus avancées.

En fait, quelque chose du genre s'est déjà produit avec la nouvelle synthèse, fruit ultime des travaux non pas de Darwin, le libre-penseur, mais de Gregor Mendel, un pieux moine. Bien malin qui aurait pu prévoir une telle éventualité ! Si le passé est garant de l'avenir, les axes de développement futur de la théorie de l'évolution pourraient prendre des décennies à se faire reconnaître.

Il est en effet peu probable que l'Histoire retienne grand-chose des vastes entreprises néo-darwiniennes d'un Dawkins (le *selfish gene*) ou d'un S.J. Gould (les *punctuated equilibria*) qui, dans les années 1990, passaient pour la fine pointe du développement des idées dans le domaine. Il y a davantage lieu de s'attendre que, après tout le battage médiatique qui aura entouré le double anniversaire darwinien de 2009 (200ᵉ anniversaire de la naissance, 150ᵉ anniversaire de la publication de l'*Origine des espèces*), on assistera, dans les années à venir, à une reprise et à une intensification du mouvement de critique soutenue des dimensions idéologiques les plus discutables du darwinisme amorcé par Stove et Midgley.

La théorie du darwinisme étant particuliè-rement renommée pour sa fécondité explicative, c'est précisément sur ce plan, celui des limites de sa capacité de production de modèles d'explication éclairants et crédibles, que portera, avant tout, le feu de l'opposition.

Or, comme Stove et Midgley l'ont bien vu, il n'y a pas de domaine où ces limites ressortent plus manifestement que celui de l'anthropologie philosophique et de l'évolution humaine. Même si Darwin a fini par consacrer une gros livre à la question de l'évolution de l'Homme, c'est là un champ d'études dans lequel il n'a pas vraiment réussi à faire sa marque. Sans doute la paléontolo-gie, et plus récemment, la génétique, nous ont-elles beaucoup appris, au cours du dernier siècle et demi, sur l'évolution des hominidés, les routes qu'eux et leurs parents humains ont suivies pour quitter leur berceau africain et essaimer dans l'Ancien Monde, etc. Mais, contrairement à ce qu'on pourrait penser, rien de cela n'a grand-chose à voir avec Darwin ou sa théorie. Darwin lui-même l'aurait sans doute admis, lui qui, dans ses œuvres, ne dit à peu près rien des découvertes de fossiles d'hominidés (l'homme de Néanderthal d'abord, et ensuite l'homme de Java) qui ont marqué son époque. La vérité est que, jusqu'à maintenant, la théorie darwinienne de l'évolution n'a pas vraiment réussi à nous offrir une explication à peu près convaincante de traits humains aussi caractéristiques que le rire ou la station verticale.

À la décharge des darwiniens, on concédera que cela tient au fait que nous ne savons encore qu'assez peu de choses du milieu naturel (forêt ou savane?) dans lequel ont évolué les membres de cette famille animale d'où est issue l'espèce humaine. Mais ne peut-on pas en dire autant de quasiment toutes les familles et espèces animales, actuelles et disparues?

Le problème que la question de l'émergence du langage pose à la théorie est encore plus grave, et ce, non seulement parce que c'est là un phéno-mène sur lequel les restes fossiles n'ont rien et ne pourront jamais rien avoir à nous dire. La vérité, ainsi que Noam Chomsky, le père de la linguistique moderne, s'est souvent complu à le souligner, est que le langage humain constitue un objet tel qu'il ne peut être que le résultat d'une mutation génétique profonde, complexe et soudaine ayant originellement affecté une population très restreinte. Or, si tel était bien le cas, le phénomène échapperait bien évidemment au modèle darwinien de sélection naturelle, lequel, on le sait, ne peut opérer qu'à travers de lents processus se déployant dans l'horizon de la longue durée.

La remarque de Chomsky représente donc un défi majeur lancé aux évolutionnistes d'obédience darwinienne. Sauf erreur, aucun d'entre eux n'a jamais, jusqu'à ce jour, même essayé de le relever.

Si Chomsky a raison, et il paraît que c'est bien le cas, on toucherait là à une limitation congénitale, en quelque sorte, de la théorie, contrainte, de par son impuissance même à rendre compte de l'émergence du langage, d'affirmer ce qu'elle s'est toujours ingéniée à nier, à savoir le caractère unique de l'espèce humaine.

Pour aller plus loin

DARWIN, Charles. *La descendance de l'homme*, Paris, L'Harmattan, 2006.

DARWIN, Charles. *L'origine des espèces*, Paris, Flammarion, 2009.

DARWIN, Charles. *Voyage d'un naturaliste autour du monde*, Paris, La Découverte, 2007.

DAWKINS, Richard. *Le gène égoïste*, Paris, Odile Jacob, 2003.

GOULD, Stephen Jay. *Darwin et les grandes énigmes de la vie*, Paris, Le Seuil, 1984, coll. «Points».

GOULD, Stephen Jay. *Et Dieu dit: « Que Darwin soit! »*, Paris, le Seuil, 2000.

GOULD, Stephen Jay. *La vie est belle*, Paris, Le Seuil, 1998, coll. «Points».

GOULVEN, Laurent. *Naissance du transformisme: Lamarck entre Linné et Darwin*. Paris, Vuibert, 2001.

LECOURT, Dominique. *L'Amérique entre la Bible et Darwin* (2ᵉ édition), Paris, PUF, 2007.

MIDGLEY, Mary. *Evolution as a Religion* (2d édition), Oxford, Routledge, 2002.

STOVE, David. *Darwinian Fairytales: Selfish Genes, Errors of Heredity, and Other Fables of Evolution*, New York, Encounter Books, 2007.

JEAN-PAUL II. *Message sur la théorie de l'évolution livré à l'Académie pontificale des sciences, le 22 octobre 1996.* Version française sur Internet: [http://www.hominides.com/html/theories/jean_paul_evolution.html].

COMMISSION THÉOLOGIQUE INTERNATIONALE. *Communion et service: la personne humaine créée à l'image de Dieu.* La civilisation catholique, IV, 254-286, Paris, Le Seuil, 2004 (non disponible en français sur Internet). Version anglaise sur Internet: [http://www.vatican.va/roman_curia/congregations/cfaith/cti_documents/rc_con_cfaith_doc_20040723_communion-stewardship_en.html].

PIE XII. *Humani Generis, Encyclique de Sa Sainteté le pape Pie XII sur quelques opinions fausses qui menacent de ruiner les fondements de la doctrine catholique.* Version française sur Internet: [http://www.jesus.2000.years.de/holy_father/pius_xii/encyclicals/documents/hf_p-xii_enc_12081950_humani-generis_fr.html].

Table des matières

1 Darwin 7

2 La théorie de l'évolution 27

3 La théorie et la réalité 37

4 Les critiques modernes 51

5 Darwin et la philosophie.................... 61

6 De quelques idées reçues 71

7 Religion et théorie
de l'évolution 83

8 La science
et l'Église catholique 93

9 L'avenir 105

Pour aller plus loin 109

Imprimé sur du Rolland Enviro100, contenant 100% de fibres recyclées postconsommation, certifié Éco-Logo, Procédé sans chlore, FSC Recyclé et fabriqué à partir d'énergie biogaz.